アメリカ大使館★神といわれた★同時通訳者

英日・日英通訳のカミワザ

松本道弘
Michihiro Matsumoto

さくら舎

プロローグ

That's one small step for man,
one giant leap for mankind.

1969年、アポロ11号が月面着陸し、アームストロング船長が発した月からのこのメッセージを、ヘッドフォンをつけた通訳者・西山千《にしやません》が同時通訳した。一般の人に「同時通訳」というものが知れ渡った瞬間である。

あれからほぼ50年。

半世紀前、私が初めて大阪で西山氏の同時通訳のデモンストレーションを目撃したときは、身体中に電気が走ったような驚愕《きょうがく》を覚えた。

この人は、きっと宇宙人に違いない。大阪のアメリカ文化センター（大阪ＡＣＣ）の館長の英語をスラスラと見事な日本語で訳されている。英語と日本語とは、語順がまるっきり違うのに……。隣に座っておられた『英文毎日』の藤本勝編集長も「信じられない、うーん」と唸《うな》っておられた。あれが噂に聞く同時通訳なのか？　多くの聴衆も呆気《あっけ》にとられていた。

だが、人一倍好奇心の強い私は、席を立ち、すぐに館長の部屋へ飛び込んで、聞いた。「ふたりの間で、事前に打ち合わせがあったのだろう」そう詰めよったところ、「いや、僕がしゃべったら、その横でセンがそのまましゃべっていたよ」と答える。西山氏はフェイク（fake）でなく、ニコやかな笑顔を崩さずに、真剣勝負をされていたのだ。なんと神々《こうごう》しい風姿。

『「甘え」の構造』の著者である土居健郎《どいたけお》氏が、初対面の私に向かって「プロ同時通訳者ですか。あれをやると精神分裂状態になるようですね」と述べられたように、プロ同時通訳者には、私の見聞が許す限り変人や狂人に近い人が多いことはたしかだ。

しかし、西山氏の芸術的な同時通訳の技を眼前で見せられると、「狂気」などはまったく感じられない。まるで天使のように（like an angel）、スラスラ同時通訳をされる。

ご本人は、こんなことを口にされたことがある。「通訳の仕事は大変ですよ、松本さん。

１日中勤務しているサラリーマンの疲労は、１日たった2時間の通訳の疲労と同じですよ。私など2時間の通訳が終わったあとは、ふらふらになって階段が登れなくなります」

まさか、と思った。しかし、同時通訳のブースに入る前の入念さはどうだろう。マイクの調子、機械の確認、それにブース内の隙間風まで気にされる。人の噂では、完全主義も病的な域に達している。

１９６０年代、商社で働きながら独自に英語を勉強していた私は、西山氏に見出された。氏とは呼吸が合い、お互いに見初め合った恋仲のように、同時通訳という間道《かんどう》にますますのめりこむことになった。

そして１９７2年というわずか1年間に凝縮された空間で、私は、西山千という魔法使いの下で同時通訳という魔法を徹底的に教え込まれたのである。

松本道弘

目次◆アメリカ大使館 神といわれた同時通訳者

第4章　同時通訳者の光と影

アメリカ大使館 神といわれた同時通訳者

——英日・日英通訳のカミワザ

第1章

同時通訳・蛹《さなぎ》期間

密かに英語を学ぶ
English Under a Flickering Candle Light

50年以上前のボロボロの当用日記を取り出した。

27歳の私は、いまはなき商社、岩井産業（大阪府）でサラリーマン稼業の最中であった。商社の世界は、食うか食われるかという闘争の経済史そのものだ。１００年の老舗《しにせ》を誇る岩井産業も、やがて同じく老舗とされた日商に吸収され、日商岩井と衣替えし、さらに、発展的解消する。大きいことはいいことではない。

いまにして思えば、岩井産業の社員であった私は、沈みゆくタイタニック号の乗組員であった。

１９６７年当時の給料支給及び控除明細書を読んでみた。

基本給の３９１００円から控除され、手取りは３７５１８円。あっという間に消える給料だ。こんな低給料でも社員は辞めない。脱サラは狂気の沙汰という時代で、社畜という言葉はまだなかった。そんな年の春に結婚をした。いま振り返ってみれば、商社時代は私にとり、蛹《さなぎ》の期間であった。蛹の私は、殻を破らんと必死にもがいていた。英語とはほぼ無関係なこの職場で、こっそりと英語の技を研《みが》いていた。決して、「英語屋さん」呼ばわりはされまいと。

社内では私の英語運用能力はほとんど知られていなかったが、私は1961年から毎土曜日の午後に、アメリカ文化センター（ACC）の英語道場でお山の大将のように英語での司会を続けていた。関西の商社間では、岩井の松本はネイティヴ並みの英語の使い手だと流布《るふ》され始めた。私としては、いずれこの英語力を天下に知らしめてみせるという野心をひた隠し（とくに社内では）にしたままの逃避行であった。

そのころ、N造船所の社長から、娘のために婿《むこ》を岩井から迎えたいというオファーが飛び込んだ。このおおっぴらな政略結婚の話題で、社内が大騒ぎになった。最大の取引先との縁組だから、社内が色めき立ったことは言うまでもない。3人の有望株が岩井から名乗り出た。

その有力候補とされたひとり、Nなる人物が所望した配属先が、鉄鋼輸出部であったらしい。それは、たまたま私が配属されたばかりの陽の当たる、つまり英語を使う機会のある部署であった。1962年に入社してから、英語が使えない非営業部門の審査部で悶々としていた私が、やっと英語が使えると思って勇んでいた矢先のことだった。トップの政治的配慮により、N氏と私のすげ替えが背後で決められてしまったのである。

伝家の宝刀としての私の英語
English as My Prideful Sword

かくして私は、英語と無縁な外国為替課へ異動になった。捨て駒のような私を、まるで源《みなもとの》義経《よしつね》のようだと、いたわってくれた人が多かった。しかしそんななぐさめは、ありがたいが、役には立たなかった。サラリーマン社会とはそういうものだ。社内政治の犠牲となった私は、この職場を呪ったものだ。

その頃の私の英語力は半端ではなかった。少なくとも私はそう思っていたし、英語道場のマツモトという名前は、商社間のみならず、メーカー間でも知れわたるようになっていた。そういう浮き名は、社内ではマイナスに響き、かえって嫉妬を産む。この状況は、翌年の1968年まで延々と続く。

外国為替課へ異動になったのは、私の派手な立ち回り——英語道場の存在が知れ渡り、職場で柔道部を創設するなど、派手なパフォーマンスへのお咎《とが》め（a slap on the wrist）に近い処置であったのか。しかも異動してからも、英会話部（ESS）を創設して社内の話題をさらい、さらに職場結婚を発表するなど、1967年の私の行動は一段と目立っていた。このようなことはせず、鉄鋼輸出部にいたときのように、もっと静かにしておけばよかったのか。

しかし英語を使う部署とはいえ、鉄鋼輸出部もつらかった。

私はこの部署では新米で、周囲にはずいぶん気をつかった。英語でレターを書くにも、上司のプライドを傷つけまいと、気を配る。

わざと、英語レターに間違いを含ませておく。上司は「松本君、ここに文法の間違いがある。直しておく」と周囲に聞こえるように、注意してくれる。私は「さすが課長」とほめ上げ、自分の案件をすんなり通した。上司の面目をつぶさず、むしろ顔を立てる。これが商社内での処世術であった。

商社のように英語が必要とされるところでさえ、英語力を誇示することはタブーであるから、メーカーなどではなおさらだ。英語という嫉妬科目（jealousy subject）は、当時の日本の社会では目立ち、周囲を妬ませることを意味する。つまり、巡り巡って自分の馘《くび》を締めることになり、結果的に出世の妨げになる。

英語を秘密兵器としていることが世間に知れわたると、ポジティブな羨望《せんぼう》（envy）がネガティブな嫉妬（jealousy）に変わるから難儀だ。そのプロセスがいかに苦渋に満ちたものか、もう少し述べてみたい。

鉄鋼輸出部に移った頃の私に戻ってみよう。まだ英語を使わせてもらえない、それでもいい、もう少し英語という刀を抜かずに、嫉妬封じゲームを続けたい。そう思っていたある日、私は残業のために宿直を命じられた。

鉄鋼輸出部という陽の当たる（必ずしも英語が使えるという意味ではないが）部署は、やり甲斐のある仕事とみえて、多くの社員（外国語大学出身者が多かった）は、残業がいかにも楽しそうだった。

営業部以外の社員の残業は「お付き合い」なので、士気は鈍っていたが、営業部の社員は、営業実績が直接、評価につながるのであるから、徹夜が何回続いたところで、まったく苦にならない。社内では勝ち組になる。非営業部署のやつらを食わせてやるんだ。当然、勝ち組の士気が高まる。したがって、宿直は彼らにとり栄誉のしるし（a badge of honor）であった。

何はともあれ、ある日、ひとりの酔っぱらいが、私のいる宿直室に迷い込んできた。

「あんたの部に、オータケという男がおるだろう。大阪外大出身の……。あれはオレの高校時代の同期生だ。オレとクラスで一、二を争ったことがある。英会話はオレのほうが上だった。だがヤツは大学へ進んで英語が使える商社に入った。オレは、高校出で、町工場で働いている。だけど実用英語じゃヤツに負けん。オレの言ってることがわかるか」

そして、急に英語をしゃべり出した。

かなり流暢《りゅうちょう》だが、帰国子女より上だといわれている私の英語力に及ばない。周囲を見渡した。誰もいない。

(英語ができることが社内でバレては、浮かばれなくなる。しかしこの男が相手なら一騎打ちになり、誰も傷つかない)

私は英語という剣を抜いた。

相手の顔面は蒼白となった。

急に黙って、日本語に変わる。「さすが大学出の人の英語は違う」と真顔で言う。

私は思わず「バカヤロー」と怒鳴《どな》った。

相手は腰を抜かして、ひっくり返った。倒れたままその男は、しげしげと私の顔を見上げ、「あなたは私よりかなり歳上の方……」と卑屈になる。しかしオータケ氏は私より1年上の先輩だから、実際はこの人のほうが、私より歳上のはずであった。

彼に、私が開いている英語道場に集まる英語使い達の話をした。私は彼らに、学歴がないからといって卑屈になるなと忠告している。小指のない英語の使い手（元ヤクザ、いや、その筋の人）も私の仲間にいる。学歴がなくても、英語を武器として実社会で活躍している人は、何人もいる。それが英語道場だ。

いつの間にか、私の思う英語道を説いていた。私がその男より歳上なら、直ちに私の部下に加えたはずだ。惜しい。出会った場所が悪かった。

英語道普及への助走

Sowing the Seed of the Way of English

その後、先に述べた社内のごたごたがあり、外国為替課に移った。

英語を隠しまくった時代が終わり、いよいよ英語で吼《ほ》え始める時期が近づいてきた。岩井産業に柔道部を創設し、引き続きＥＳＳを創設した私の衝動は、もうアンストッパブル。そしてその情熱は英語道の普及に傾いていくことになる。

そのきっかけは日商と岩井の柔道部対抗試合で、主将の私が日商の主将に大将戦で敗れたときだった。私の柔道人生は、兵庫県の丹波《たんば》篠山《ささやま》の昇段試合で、ひとりだけ三段を取り、その場のチャンピオンになったときがピークであったかもしれない。それ以来、柔道場へ顔を出したことはないから、身体がなまっていたのだろう。大阪府淀屋橋《よどやばし》の近くにあった古い町道場の戸張《とばり》道場には数回顔を出していたが、それも健康維持のため。心はすでに英語道に移っていた。

私が今日まで現役を続けているのは、武士道の延長としての英語道だけだ。この道に絞るべきだとの思いから、社内のESSにいっそうのテコ入れを始めた。

当時の私は、商社は表、英語道場は裏、柔道部と社内ESSを両輪としていたが、少し無理があった。するとどうしても、楽な（自然な＝the course of the least resistance の意）英語の道に傾いていく。

しかし、どちらにもいい顔をするといった〝間《ま》〟は「魔」に化けるようだ。その魔のひとつが、新婚生活での夫婦間のもつれであり、もうひとつは、転職という誘惑であった。そして3番目の魔が、もっとも手ごわい相手であった。それは、英語道を広げたいという誘惑である。毎土曜日の午後の英語道場の噂が西日本全土に広がり、生駒《いこま》のイングリッシュ・ハウス、YMCA英会話学校で、英会話を教えてくれないかという誘いが舞い込み、思いきって二足のわらじを履くことになった。英語道を極めるという「求道心」から、英語道を広めるという「弘道心」に変わった。この頃であったか、東京で、半ば政治的に生み落とされた英語検定®（STEP）が話題になり始めた。相手にとって不足はない。英語「術」に対し「道」で闘うのみである。私は商社が狭く感じるようになってきた。英語道を広げる場所へ、転職したほうがいいだろうか？

ここでどうしても私の読者にお詫びしておくべきことがある。

私はこれまで13歳から毎日欠かさず、当用日記を書き続けてきたと言ってきたのだが、事実誤認であった。実際は、この年（１９６７年）に結婚した妻の節子に何日も日記を代筆させていたのだ。多忙にかまけて、すっかり忘れていた。

節子とはのちに別れたが、彼女の陰徳がなければ、いまの私はない。この頃長男を身ごもった新妻は、私から英語道の話を聞いても耳に入らなかったはずだ。また成美園という社宅への引っ越しを直前に控え、たいへんであったはずだ。そしてこの妻との縁が、同時通訳の名人、西山千《にしやません》氏との接触の遠因になる。しかしこのときはまだ、そんなことは夢にも思っていなかった。

人生の囲碁、次の一手は
Life is a "go-go" game

転職は結婚、離婚と同じで、必ずリスク（risk）を伴う。リスクは避けられないのが現実だ。

英語を学ぶうえでも同じことがいえる。リスクをあえて、いや喜んでとることが、英語道なのだ。ロマンチストを自認する私にとり、リスクほどの誘惑はない。

1967年の9月13日午後5時半、『ジャパン・タイムズ』の嶋中支店長に会う。『ジャパン・タイムズ』が全額出資する翻訳専門会社を設立するので、翻訳に自信のある有志を募っているとのこと。月200万円の受注はコンスタントにあるらしい。私の力なら2、3年で幹部になり、役員にもなれば給料は月15万円を超えるだろうという。

「君の英語力は僕がこの耳で聴いて感心したから問題はないが、翻訳力はどうかね。失礼だが、岩井の給料はたかだか月4、5万円ぐらいだろう」

手取りで3万円そこそことは口が裂けても言えない。15万円とは魅惑的だ。目と目が合う。しばらく静止して、こう返事する。

「翻訳に関する限り、なんとかなるでしょう。しかし会社を変わる気は、いまの段階ではまったくありません」と。

剣はメシを食うためのものではない、という宮本武蔵《みやもとむさし》の行動哲学を口にしたまでである。私にとっての英語は、宮本武蔵にとっての「剣」であった。

嶋中支店長は、うーむ、お主やるのう、という頼もし気な笑顔で返された。

そこで私も、戦略的にスキを見せた。「先のことはわかりません。私の力が正当に評価されたうえでのお誘いがあれば、お世話になることがあるかもしれません。嶋中さんはかつて、私の文章が作文に近い駄文で出版するに値しないと酷評されたことがあります。深く反省しているところです」

思い起こせば、あのときの嶋中氏のコメントは的を射たものだった。

「いい文章は、冒頭が大切なんだよ。短くパンチの効くセリフで勝負ができるかい。『トンネルを抜けると雪国だった』とか、『雲がいまにも泣き出しそうだった』とか、読者が瞬間に情景をイメージできるような文体が……」

うーん、絵になる文体とはそういうことか、と目からうろこが落ちた。だから、「深く反省していますから、しばらく書くつもりはありません」と引き下がったのだ。しかし嶋中支店長は、

「じゃ、もう一度見てもいいですよ。なんだったらS.T.（The Student Times）誌に連載してもらってもいいですよ」と譲歩される。私に転職を促しておられることは確かだった。

岩井産業時代は非営業部門で、数字とにらめっこの毎日であったので、英語が使える職場はお花畑に映ったものだ。翻訳業か。うーむ。

またその夜に、イングリッシュ・ハウスの磯辺亮平館長から電話があり、月に２回でも

いいから、レギュラー講師を務めてほしいとのオファーがあり、これは快諾した。

私は人生の囲碁を打っていた。岩井産業を離れたら、私は英語道という自分のテリトリーを失うことにならないか。いやひょっとしたら、英語道マーケットを広げることになりはしないか。この碁は、英語道で食っていけるかどうかという長期戦だった。

一日にして剣をさやに収める
Quit Cold Turkey. Never Thought Twice

英語界の天下人になるとは何か。教育界だけでなく、ビジネス界も制することだ。サラリーマンをしつつ英語講師などをするという二刀流で、英語道を普及することは容易ではない。英語道とは、1、英語力（斬れる英語）、2、情報力、3、人間力の3点セットで、いずれが欠けても「道」としてのインテグリティを失う。だから、狂気に近い。天下人を目指して、給料が4、5倍の『ジャパン・タイムズ』の〝顔（flagship＝旗艦）〟となる翻訳会社（松下電器の直系になる）の役員を目指し、華々しく転職をするか。

転職するしかない、と私の腹は決まっていたが、妻がお願いだからある人の意見を聞くまで待って、という。

占い師など信じない私でも、人生の岐路に立ったときは、謙虚に耳を傾けることにしている。

9月20日、妻に誘われて兵庫県の誠成公倫会《せいせいこうりんかい》を訪れた。

同会の八島義郎《やしまよしろう》先生が来られるのは、この日しかないというのだ。

数百人が一堂に会していた。この熱気。まるで新興宗教だ。あらかじめ私の質問をメモに書いて渡しておいたので、八島先生が高座から回答される。

私のメモに対する回答を書きとめておいた。

1．会社を変えることはよくない。転職先は悪く、3年以内で放り出される。

2．岩井産業に骨を埋めることは、ありえない。これからも誘いはくる。いまから4年と3ヵ月待てば、全国的に有名な人から誘いがくる。このスカウトが人生の転機になる。

3．先祖に恵まれている。感謝すること。

4．海外渡航のチャンスはあるが、いま行けばマイナス――左遷になる。仕事から離れれば具合が悪いときにこそ渡航すればプラス――出世する。

5．いまの疲労の原因は人間関係からくる心労。

このなかでもっとも私が引っかかったのが「いまから4年と3ヵ月で全国的に有名な人から誘いがくる」という具体的な数字だ。私は嘘をつかない数字に惹かれる。ようし、本当かどうか検証してやる、と好奇心旺盛な私は意気込んだ。

かくして、とりあえず転職は断念し、八島先生なる人物の予言の真贋を明らかにしてみることにした。

当日の日記の見出しは、「一日にして剣をさやに収める」とした。パチンという音まで加えた。これ以上、悩まぬと腹を決めた。英語という刀を抜くことをあきらめた。忍の一字。

会社では英語が不要な業務に徹し、家で密かに英語の剣を研ぐ。そのために75日間、妻と床を同じくしないというルールを立てた。75日間の異床同夢は、私より孤独な妻にとり、よりつらかったはずだ。当時の日記にも漏らしている。実家にも帰りたかったらしかったが、里心がつけば、夫婦間の絆がゆるみ、それこそ異床異夢になりかねないと八島先生に反対されて、お互い同じ屋根の下で耐え忍ぶことを誓いあった。

私は心身ともに疲れ、黄疸指数が高くなり、病院通いが増えた。4年3ヵ月先とは、遠すぎる未来だ。妻は階段を上るのもフーフー（huff and puff）。私は英語がまったく使えず、ブーブー（grunt and groan）と呻《うめ》きながらも、英語道を貫いている。

ふたりの会話はいつもムニャムニャ（hem and haw）と歯切れが悪く、嚙み合わない。そこへ、長男の道人《みちと》が生まれた（12月24日午前7時4分）。この年、初めての喜びだった。喜びが怖かった。新しい生命《いのち》は、祝福（blessing）のはずだ。

しかし、英語道という十字架が足かせになれば、ひょっとしたら、呪い（a curse）に化けるかも……。

新しい生命を抱いて、道人に英語で話し掛けた。Son, this is your father.

同時通訳の名人・センとの邂逅《かいこう》
Close Encounter with an Alien

４年３ヵ月とは、言葉でいえば短く聞こえるが、待つ身になればずいぶん長い。私はあの謎の八島先生の予言の真偽を突き止めようと待ったが、３年目からすっかり忘れていた。

ところが１９７１年になり、私は八島先生の予言通り、全国的に有名な人から誘われ、アメリカ大使館の同時通訳・翻訳の試験を受けて合格し、広報文化局（ＵＳＩＳ、現在の広報文化交流局）に配属されることになった。

　1971年12月16日の日記に、こう書き記している。

「不思議！　4年3ヵ月後に全国的に有名な人から声がかかり、私の人生の大転機（ビッグ・ブレーク）を迎える、という予言はぴったり的中した」と。

　少しさかのぼって、12月3日の日記を開いて驚いた。これはアメリカ大使館に採用が決定した日だ。つまり全国的に有名な人とは、私をアメリカ大使館に誘った人物、アポロ月面着陸の同時通訳をされた西山千氏（アメリカ大使館広報文化局）であったのだ。

「松本さん、大使館にいらっしゃいませんか」と声をかけていただいたが、断る理由はまったくない。身に余るオファー（an offer I can't refuse）であった。はじめは社交辞令だろうと思い、日記にも記していない。しかし「喜んで」と夢心地で快諾したことははっきり覚えている。


　これは後日談だが、喫茶店で西山千師匠とふたりで同時通訳の仕事をしながら、4年3ヵ月の謎の話をしたら、「不気味な話ですね」と苦笑いされただけで、このエピソードは二度と話題にならなかった。センは――あえて、この本ではこのような愛称で呼ばせていただきたい――話題をそらせるように、こんな裏話を聞かせてくれた。

「アメリカ大使館がほしい人材は、アメリカに滞在経験の長い英語ペラペラな人なんかじゃありません。アメリカ人に好かれる人より日本人とうまくやっていける苦労人なんですよ」と。

私が日本人同士のコミュニケーションで傷だらけになっていた社畜体験を、宇宙人のようなセンが超感覚的に感知されていたのだろうか。

大一番・同時通訳テスト

The Defining Moment in My Life

箕面《みのお》観光ホテルで開かれたアメリカ大使館主催の日米合同会議は、私にとっての天王山となった。時は10月22日。私は講師として招かれ、インター・オーサカ（同時通訳ブームにあやかって浮上した会議運営会社）で1年間、同時通訳術を磨いてきていた。そのスキルがどこまで通じるか。大阪人の同時通訳が東京の人に通じるかという、私にとってまさに背水の陣であった。

というのも、センは私をアメリカ大使館に誘い、さらに自分の上司であるアメリカ人に私のことを推薦してくださったが、肝心の同時通訳能力が未証明のままだった。情感だけでの判断ほど危険なものはない。

そこで、センはいずれ私の上司にもなる日系米人のウエノ・シロー氏に、私の通訳力を品定めして欲しいと頼んだのだそうだ。

松本道弘という関西人に、アメリカ大使館の同時通訳名人・センの後釜になるだけの力量と品位が備わっているのかが品定めされることになる。当時60代前半のセンの後釜として、弱冠31歳というこの若僧に？

その日、アメリカ大使館広報文化局のT女史が、箕面観光ホテルまでのタクシーのなかで、通訳不適格となればほかにどんな仕事が考えられるかという想定質問に対し、機密に近い情報を提供してくれた。

給料は決してよくないが、仕事の時間以外はフリーで、政財界、マスコミ、ジャーナリストとのコネができるので、通訳修行以外に自己を世間にアピールできる絶好の機会であり、旨味のある職場ですよ、という。

そして真剣勝負の同時通訳テストが始まった。大阪大学のN教授の日英（日本語から英語へ訳す）をたぶん、半時間以上ぶっ通しでやった。1971年の関西での通訳実績を鑑みれば、ブースで数時間の同時通訳は、負担でないところまで私の腕前は上がっていた。インター・オーサカ派遣のK氏が、4分の3程度サポートしてくれたことは付記させていただこう。さすが、関西一のプロ通訳者で、住友化学の奇才・岡野《おかの》光弥《みつや》さんと並ぶといわれた猛者《もさ》だ。豪華キャスターが揃った前で立ち回りをしたことになる。

日英同通をひとりでこなしたことはたしかだ。

米国政府の労務担当者であるローゼン・ブラウン氏が私の英語を聴き、そして海外に一度も出たことがないことを知って、二度驚かれたようだ。ウエノ・シロー氏も満足し、ついでに翻訳テストもと言って英文を見せられた。おまけといったところだ。その場でてきぱきと日本語に訳したその解答にさらーっと目を通したシロー氏は、「英日（英語から日本語へ訳す）のほうも合格です」と英語で言った。こうして私は無事内定した。

その後、12月3日にアメリカ大使館で試験を受け、正式に採用が決まった。

すでにシロー氏と私のふたりは、英語から日本語の会話に移っていた。

「これで、あなたは正式に合格。これまで西山千の後釜を公募し、1000名以上申し込みがありましたが、全員が力量と品位でふさわしくない人物ばかり。あなたが初めてです。しかも、海外の経験のない人はあなたひとりだけ。おめでとう」

夢心地とはこういう状態なのだろう。涙は出なかったが、心は宙に浮いていた。あの名人の後釜などと、そんな畏れ多い仕事がいただけるなんて、考えも及ばなかった。

ただ、西山千という同時通訳の神様のそばに置いていただけるだけでいい。修行させていただけると考えるだけで胸が熱くなったものだ。

もったいない！　心の中でそう叫んでいた。その心情にはロジックのかけらもなく、エモーションで膨れ上がっていた。あとは、私を拾ってくださった人生の恩人に私の命を預けるのみだ。このあまりにもナニワ気質的な情理がいずれ仇《あだ》になろうとは思いもしなかった。

生駒《いこま》道場での日々

On a Clear Day, I see Osaka

アメリカ大使館へ勤めることになり、東京へと発つ新幹線のプラットフォームで十数名から胴上げをされた。大阪のアメリカ文化センター（大阪ＡＣＣ）で知り合い、私のもとに集まって、のちに英語道場に入った門弟たちである。新幹線が動き出しても数人の門弟が子犬のように追いかけてくる。みんながいつまでも手を振り続けている。男ばかりだ。

車中の私もしばらく涙が止まらなかった。

それだけ、やつらもうれしいのか。

うれしかったのだ。

車中で、私のもとに集まった熱意のある者たちとともに生駒で旗揚げした、英語道場の日々を思い出した。

私がアメリカ大使館に採用され、上京することになった１９７１年は、自分の人生においてまさに不透明な時期に当たる。

とくにこの年７月の英語ディベート合宿は、関西英語界のドンとしての私の意地の見せどころだった。そもそもの発端は、関西の大学生たちが関東のプロの英語の先生の傲慢な態度に業を煮やした事件だった。「あんたがたの関西にはプロの先生がいない。英語が話せるわけがない」と侮辱され、彼らはすごすごと帰阪した。

これを聞いた大阪、京都、奈良、神戸（兵庫）のＥＳＳの幹部たちが生駒の私宅に集まった。たしかに、英語力は東京と大阪では差がありすぎる。通訳のレベルにも格段の開きがあることは全員が認めた。関西で開催される国際会議には必ず、東京からプロ通訳者が助っ人として招かれる。

国際的なイメージにしても、関西は首都を抱えた関東と比べてかなり見劣りがする。名門校を目指し、偏差値を上げるには上京するに限る、というのはきわめて常識的な判断であった。「だから、関西のようなへんぴな田舎では、使える英語は学べない。そもそも英語を教えるプロがいない。あんた方は可哀相《かわいそう》だ。英語教育は東京の我々プロに任せなさい」というのが向こうの言い分であった。

ここまで面罵《めんば》されると、土下座してまでも、東京からプロの英語の先生方をお迎えしなければならなくなる。とくに松本亨《まつもととおる》英語研究所のプロたちの態度は、刺々《とげとげ》しかった（松本亨といえば、ＮＨＫラジオ講座で全国的に有名だった）。

オレたちを関西へ招けという高飛車な態度によほど閉口したらしく、帰ってきた女子大生たちは、涙をこらえていた。

東京の人たちの言うことには一理ある。しかし、最後の砦として松本道弘（当時は本名の廸紘《みちひろ》で通していた）がここにいるではないか、というのが私の意地であった。そして関西の大学生たちも私を関西のドン（首領）とみなして、生駒の我が家まで馳せ参じてくれたのである。大阪の街を見下ろすことのできる生駒山の中腹の我が家は、まるで梁山泊《りょうざんぱく》といった風景、いや情景であった。

「ようし、やるか、我々で」

私はついに口を開いた。関西学院大学のレスリング部で名の知られていた弟の篤弘《あつひろ》も、兄の勢いに乗った。「やる」という私の言霊《ことだま》を待っていたように学生たちの心が共振し始めた。またたく間に「関西の松本が立つ。英語合宿は関西だけでやる。結集せよ」という狼煙《のろし》が上がった。

関西のドンと呼ばれた私が立ち上がったのは、意地であった。

ビジネス感覚のない私は、この企画で、合宿所のイングリッシュ・ハウス使用料を支払ったあと、背広一着買えればよいというだけのそろばん勘定で駆けずり回った。だが、背広一着どころか、まさに赤字続きで、家庭経済は崩壊寸前となった。学生たちは、いかに私の生活を支えようかと、米を運ぶ班や、ラーメンを買い入れる学生部が私の背後で形成されつつあった。最終日の８月３日は、ＮＨＫテレビの國弘正雄《くにひろまさお》氏を講演会に招くことで集客を図った。

「先生、今日何時に来ていただけますか」と東京の國弘先生に電話をする。

「今日だったかな」と、とぼけられる。招かれてスピーチをする東京人と、知名度ゼロの企画者が集客のためにプライドを捨て、東京人セレブにペコペコしなければならない大阪人との間には、天と地の隔たりがあった。もし来られなかったら私は学生達の前で土下座をする覚悟だった。

國弘氏が半時間ほど遅れてやっと姿を見せたときは、安堵のため息をつくとともに目頭が熱くなった。これで、男の面子が立った。

戦後の英語教育のマンモスといえば、ラジオ時代の松本亨博士、テレビ時代の國弘正雄教授のふたりの巨人。そののちの、来るべきインターネットの時代のチャンプはだれかといった話題は一切なかった。私、関西のドンこと松本道弘は、全国的には無名に近い存在だった。しかしいまは土下座していても、いずれ勝ってみせる。ド根性だ。東京人に負けてたまるか、と耐え忍んだ。

私はカネは失ったが、ナニワ人の意地を貫き、得るものは得た。松本道弘は関西英語界の守護神という呼称が、不動のものとなった。

しかし上方英語が死守できた以上、この生駒の土地で棲息し続けてもいいのだろうか。その疑問は英語道場内部からわき上がった。

先生には、花の江戸で勝負していただきたい、という声がどこからともなく沸騰し始めていた。

私がセンから声をかけられ、アメリカ大使館への転職が決まったのも、そんな萌芽《ほうが》期だった。

東京という異国へ

Up or Down to Tokyo?

センを慕って上京を決意する半年前の生駒英語道場（イングリッシュ・ハウスの塾生が増えてきた）の空気は、嵐の前の静けさどころではなかった。授業が終わったあと、最後の直会《なおらい》が始まると空気が湿ってくる。

先生の英語は最後のナニワ英語道。東下《あずまくだ》りしてもらっては困ります。東京人は田舎者の集まりで、「術」で目立ちたい人間ばかりで「道」の意味なんかわかりません……。

大阪人の東京人に対する対立感情がムキ出しになる。大阪を死守するという私の意地に集まった連中、いや大阪軍勢は、東京軍勢にはフォース（目立つ力）では勝てないという「あきらめ」派と、「いっそ松本先生には東京で暴れてもらおう」という第二の勢力が高まりつつあった。上方のパワー（見えざる底力）をフォースで証明せよというナニワ気質だ。

足立（イングリッシュ・ハウス）という学生は、先生を東京へ追い出すために、毎日ここへ通います、と私の前で直言した。大阪大学の前田信証（剣道部主将で、塾頭に昇格）は、私に向かって、「先生なんか、大阪にいりませんわ」という。

「前田、お前までオレを大阪から追い出すのか」

淋しかった。翌日、前田宅に電話をする。前田の母が出る。「先生が東京へ行きはるといって毎晩ヤケクソになって飲んで帰ります」と真実を教えてくれる。

前田が私を、そこまで……。涙が止まらなかった。

私が上京を決意したとき、周囲は、本心では私を止めたい心境であったに違いない。しかし、私を大使館に推挙した人が、あの西山千という天下人であったと知って、全員が全面降伏したのだった。

大阪を脱藩する（私にとって、大阪から出ることは「脱藩」ほどの覚悟を決めることであった）とはどういうことか。大阪も東京も同じ日本である。「大阪弁が混ざってもいいじゃないですか」と東京人の同時通訳者は真顔で言う。同じ日本人じゃないか、でしょう？（Right?）と。私は言う、断じてちがう！（Wrong!）

上京後は関西脱藩後の話になり、ペンが重くなる。

31歳で上京してから47年以上経っているというのに、アメリカ大使館時代の思い出を書こうとすると心が重く（heavy heart）なり、ペンが止まる。

あの神格化された同時通訳者、西山千を、脱神格化（demythologize）しなければならなくなるからだ。それができるのは直弟子《じきでし》の私しかいない。淡々と書くなど、できない。妊娠中の妻にとり、異床同夢の毎日はつらかったに違いない。しかも超多忙の私は留守中、私に代わって妻に日記まで書かせていた。なんという鉄面皮！

しかし、そんな私も外面《そとづら》はよく、イングリッシュ・ハウスの生徒の間では、まるで英雄だった。

弟子のなかには、イングリッシュ・ハウスの近くに引っ越した者もいた。私宅で開いた私塾（生駒英語道場は、現在の上野紘道館《こうどうかん》の前身のようなもの）の門を叩く者もいた。

また、「たのもー」と門を叩いたひょうきんな男がいた。同志社の上田《うえだ》信行《のぶゆき》君（現在、同志社女子大学特任教授）というミュージシャンとしても知られていた男だ。可愛い生徒だと、妻がとくに気に入っていた。

この音楽好きな男が、私に1枚の推薦状を求めた。そしてハーバード大学に留学した。私が上京すると知って、多くの弟子が海外に留学先を求め雄飛していった。

のちに上田君は、私がアメリカ大使館を辞めて再び一匹狼に戻った頃、ＮＨＫのディレクター連中に、私を売り込んでくれた。

いつの間にかＮＨＫ内で、上田君の勧めるこの私を國弘正雄氏（当時ＮＨＫテレビ英語講座中級の講師をされておられた）の後釜にするという計画が進行していたのだ。

上田君（イングリッシュ・ハウスではロブという愛称で通っていた）が、あのキラキラした眼で「いや、僕なんかより、すごいのが松本先生です。日本から一歩も出ずに」と売り込んでくれていたのだ。そのおかげで私はオーディションを受け、國弘正雄氏の後釜になった。そのきっかけは、あのナニワ時代の巣から飛び立った人脈のひとりがつくってくれたのだった。

第2章　植民地・アメリカ大使館

大使館デビュー前夜

The Calm Before the Perfect Storm

東京ですら異国に見えた私には、アメリカ大使館が異星に見えた。

１９７１年12月30日、上司になるウエノ・シロー氏が、これから同時通訳のパートナーとなる冨永正之《とみながまさゆき》氏と私をランチに誘い、こっそり漏らしてくれた内密情報が私を震撼《しんかん》させた。その日の日記に書きとめてある。

1. 通訳者は失敗を決して他人のせいにしない。ましてや機械のせいにしないこと。センの悪態がそのいい例です。決してあんな真似はしないこと（シロー氏が私にとって神的存在のセンを否定したこの日の衝撃は、いまも忘れない）。
2. ここではいつ馘《くび》が飛ぶかしれません。広報文化局は予算が少ないので、容赦なく人員が削減されます。１回のミスでも。
3. アメリカ人スタッフに――たとえひとりでも――あの通訳は「ダメ」というレッテルが貼られると、私としては弁護する余地がありません。あなたの前任者も日英の同通が不出来で、一瞬にして馘、出入り禁止にされました。

その夜、忘年会が開かれた。日米両国人が和気あいあいと英語で雑談をしている。誰ひとり（ほとんどが日本人スタッフ）ヒアリングで悩んでいる人はいなかった。ついていけなかったのは私だけか。この日の英文で書いた日記には、ヒアリング（aural comprehension）を listening ではなく、そのまま hearing と使っていた。こんないい加減な英語の使い手が、アメリカ大使館の同時通訳者の卵だった。いつ孵化《ふか》できるのだろうか。いまは潜伏の時期だ。ぐっと耐えよう。これがセンに抱卵されようとする私の姿だった。

恐ろしいところに放り込まれたものだ。それよりも日系米人ウエノ・シロー氏の、背筋も凍るようなセン批判が私を悩ませた。「決してセンのような真似はしないこと」とはどういうことか。その人に私はあこがれ、しびれているというのに。

大阪の箕面《みのお》観光ホテルまで足を運び、私の同時通訳スキルをチェックしてくださったのは、シロー氏とセンとの日系米人同士の仁義ではなかったのか。日系米人同士の絆ではなかったのか。ふたりがこぞって私の入館を祝福してくれたのではなかったのか。これが、アメリカ大使館という白い巨塔（旧満鉄ビルがそのように映った）の玄関口だったのか。

アメリカ人は英語だけで通訳力を判断する。センがこれまでひとりだけ大使館内で生存できたのは、あのネイティヴ並みの英語力であったからだ。この通訳名人の後釜として何十人何百人の応募者が技を試されたが、誰ひとり続かなかったのは、名人のように非の打ちどころのない（impeccable）ネイティヴ英語に及びもつかなかったからだろう。

シロー氏の英語もまさにネイティヴ。そしてコメントは手厳しい。世間で活躍している多くの日本人プロ同時通訳者でも、シロー氏のおメガネにかなう人はひとりもいなかった。1000名のひとりに私が選ばれたというのは、真実だったのだろうか。初日から私の心に暗雲が立ちこめてきた。

同時通訳者は弊履《へいり》

Interpreters are bad old shoes

アメリカ大使館にとって私は弊履《へいり》、やぶれた草履《ぞうり》なのか。であれば私だけでなく、仲間の冨永氏も、トレーナーのセンもみんな、いずれ捨てられ、蝿《はえ》のように死んでいくのだろうか。

センがある交渉通訳の席上で、日本文化を侮辱するアメリカ人の強引すぎる交渉に業《ごう》を煮やしたのか、いきなり、ご自身のボロ靴を脱ぎ、米人の前に見せ、「日本人は、こんなボロボロになるまで働いているのだ」と開き直られたことがある。英語では信頼できる仲間のことをa good old shoeという。偕老同穴の夫婦の仲もgood old shoesで通じる。粋《いき》な英語ではないか。

いや、「粋」の話ではない。アメリカ大使館は、いまだから書けるが、まるで宇宙人が縄文時代に来てつくった、ヨコ穴式洞窟のようだった。そこに人間という生物が実験用の動物のように閉じ込められていた。

そして、そんな生気のない洞窟に、センは息を殺して棲《す》んでおられた。入館した当日、「お世話になります。今後ともよろしく」と挨拶回りをしたときも、数人の日本人館員の対応は白々しいものばかりであった。

「なんで、こんなところへ来たの。ここは人が働くところじゃない。せいぜい、肩書きだけを利用して、新しい仕事を見つけることだね」

言葉のトゲなんてものではない。まるで、言葉の毒。

上司のウエノ・シロー氏に、「そんなところじゃない（Say it ain't so.）と反論してください」と話しかけても無駄だった。反応は同じだ。この職場には大阪の古い職場（岩井産業、1968年に日商と合併し、日商岩井となった）のなかで見い出せた「情」というものがなかった。年末のシロー氏の「センはbad model」そして「通訳者は使い捨てされる運命なのだ」というホンネ・トークは、どうやら本当らしい。ここは刑務所か。

それでも私は、幸せを演じ続けた。松本一族（その中に、妹の幸子や大阪の英語道場で発刊している『道』誌の編集長であった弟の篤弘がいた）だけでなく、大阪の英語道場、ＹＭＣＡ、イングリッシュ・ハウス関係者の面々に、我々の松本先生がアメリカ大使館で同時通訳の修行をされているという朗報が口コミで伝わり、笑顔が広がっていたからだ。彼らの嬉々《きき》とした顔を思い浮かべるだけで、私は幸せであった。

年が明け、ＦＥＮ（米軍極東放送網）をイヤホンで聴きながら、大使館通いが始まる。机がひとつ与えられ、そこでトランスクリプションの仕事が与えられるが、３月から始まるプログラムの準備のためのぜいたくなインプット期間となる。当時の日記には最高の幸せ（Never had it so good.）と英語で書いた。

ここでは誰からも干渉されない。自分のことは自分でする。コーヒーも自分でとりに行き、階段を通りデスクまで運ぶ。電話も「公」「私」を申告しなければ使えない。通話時間の申告と料金の支払いも個々に済ませる。人に頼ることはすべて「甘え」となる。センには機械になりなさい、と忠告されたこともあった。

勤務時間中は、全員が沈黙のまま。いつもシーンと静まり返っている。たまに、センがニコニコ顔で、私のデスクに立ち寄って、椅子を引き寄せ、私の横に座られる。緊張する。胸がドキドキする。あのトレード・マークのダブルのチョッキが、ダンディーに決まっている。惚れ惚れする（私はいまでも、チョッキを身につけると、センの眼を意識してしまって緊張する）。

「厳しくしごいてください」と何度も頭を下げた。

私にとり、至福のモメントであった。

外側の人々は、センを日本人が誇るべき紳士、そして同時通訳の神様とし、心底から崇める。内側の人は、「西山さんはエイリアン（宇宙人）のような人です。日本人だと考えてはいけません。アメリカ人なんですよ。騙されてはいけません」という。とくに女性館員は、館内のセンをエイリアン視する。

多くの日本人からは富士山のように美しく見える御仁だが、側近の人は、まるで人を迷わす青木ヶ原樹海のように思っているようである。

たぶん周囲は、センをやっかんでいるんだろう。かっこよすぎて疎《うと》んじているだけなんだ、と私は達観していた。

センは日本人かアメリカ人か
Is Sen American or Japanese?

西山千という同時通訳の神様は、日本一の英語の達人と、誰しもが認めていた。アポロ11号の、月からの宇宙飛行士の英語を同時に日本語に訳された。その美しい日本語を耳にした視聴者のほとんどは、センは英語も上手な日本人だと判断しただろう。しかしセンの英語を聴けば、アメリカ人か日系米人だと速断するはずだ（実際、センは日系米人の２世で、24歳のときに日本に帰化された）。

センは、日常はめったに英語を話されない。話された英語を耳にした日本人は、誰ひとりとしてセンの英語のリズムにはついていけない。そのことをセンは十分知っておられる。だから言葉だけでなくマナーに関しても日本人が驚くほど日本人以上に日本的なのだ。とにかく腰が低い。品位がある。美声（ご本人は「地声ですよ」と謙遜されている）のうえに、話された日本語にくせがなく、音楽的で美しいのだ。

しかし、めったにセンの英語は聴けない。

そんなセンが、ある夜のカクテル・パーティーで、アメリカ人スタッフにまじって笑いながら英語を話されていた。私は度肝を抜かれる思いがした。まったくのネイティヴ。アメリカ人たちのボディ・ランゲージでわかる。まさに〝They speak the same language（呼吸がピッタリ）〟。テレビやラジオ講座でネイティヴが話す不自然な教科書英語なんかではない。テレビに登場するネイティヴはＡＩロボットのように、不自然なボディ・ランゲージで、不自然な英語を話しても許される。そんな雇われガイコクジン・タレントたちはまるで、ピエロ（clowns）だ。

名人・センの英語は、クジャクが美声で歌っているかのようだった。周囲が夢心地になっている。

私が真似できる英語ではない。

この人の後釜なんて……急に天才モーツァルトに嫉妬する、秀才のサリエリの心境にまで引きずり降ろされた。みじめになる。やはりセンはアメリカ人だったのだ。

しかしそれでもいい。惚れ込む（I'm in.）とはこのことだろう。

センが私のデスクに近づかれるたび、乙女《おとめ》のような恥じらいを覚えてしまう。あこがれの異性に接するときのような心のときめきを感じてしまうのだ。もう恋慕に近い。

そんな私が、ある日、センのデスクに近づいて聞いた。

「先生、ちょっといいですか」

書類から目を離し、私を見上げたときの険しい形相はいまでも忘れない。いつもの笑顔を期待していた私は、凍りついてしまった。そのときの言葉にはトゲがあった。「いま、仕事をしているのがわからないのですか」と。

アメリカ人にシェイプシフトされている。

日本の従業員に対するアメリカ人の視線とは、こういうものだろうか。

日を改めて、センに近づいた。

「あのう、大阪の英語道場の人たちが発刊する『道』という雑誌があるのですが、編集長から一言、先生のメッセージが欲しいと頼まれまして……」

「英語でいいんですね。それならすぐにやります」即答だった。

新大阪のプラットフォームで胴上げしてくれた英語道場の面々は、センの即答を伝えると色めきたった。あの西山先生からメッセージがいただけると。

とにかく関西の英語界、ビジネス界でドンと恐れられている私がセンに惚れて弟子入りしたのだった。もう私は師の地位を捨てて、ひとりの弟子になったのだ。彼らにとって、師の師であるセンの言葉は、まさに神の言葉に近かった。

それから数週間経った。締め切りがとっくに過ぎた。あっという間に書くと言われたのに、まるっきり音沙汰がない。不安が蓄積されていく。

やっとの思いで「あのう、あの英文メッセージの件ですが」と再度センにお願いする。

そのときのセンの言葉は、天使のように甘かった。

「ごめんなさーい。本当にすみません」深々と頭を下げられる。

「いいえ、構いません。じゃ、あと1週間待ちますから」

その言葉を耳にしたセンは、再び夜叉《やしゃ》のような表情に変わる。そして一喝。

「君、失礼じゃないか。人にものを頼むのに1週間でやれとは」激しく面罵《めんば》される。目の前が真っ白になる。再びシェイプシフトされていた。夢であってほしい。

とぼとぼ自分の席に戻り、反芻《はんすう》した。

どこがいけなかったのか。なぜあれほどの剣幕で私を面罵されたのか。センは多重人格者なのか。社会的地位のある60代の日本人男性とは到底思えない。そのとき、館内の日本人職員たちの言葉「日本人だと思えば裏切られますよ」は本当だったのかと認識させられた。やっぱりセンはアメリカ人だったのか。

サイマル王国の殿様商法
The Sun Never Sets on The Great SIMUL Empire

１９７２年は、私の人生でもっとも思い出深い年だ。日記を読み返すと、そこに31歳の私がいる。60歳半ばのセンがそばにおられる。

私の人生を大きく変えた同時通訳の名人が、宇宙人のようなギョロ目で私をにらんでいる。３月14日から広報文化局主催のパッケージ・プログラム（packaged program：アメリカ大使館による広報活動の一環で、シンポジウムのようなもの）のシリーズが始まりますから、ワークショップをやりましょう、と言い、姿をくらませる。

センと私のふたりの通訳ワークショップに駆り出されたもうひとりの兵士（soldier）がいる。翻訳部の冨永氏だ。そしてこの３人の結び目（joint）の役は、正体不明の日系人ウエノ・シロー氏が務めてくれる。

日記をめくりながら、当時の様子を書いてみよう。

１月４日。シロー氏のオフィスに、センと冨永氏と私が呼ばれた。

最初の秘密会議は、いかにパッケージ・プログラムを乗り切るかといった、いわば人事を巡る戦略会議であった。

シロー氏の考えでは、東京はすべてサイマルの通訳者に依頼し、地方巡業は予算の関係上、私にローカルのセミプロ（地方には、プロはいないという大前提）をつける、と言う。サイマルとは、実力派の通訳者・翻訳者を抱える会社（サイマル・インターナショナル）である。

センは、シロー氏に反対する。世間の眼は厳しいので失敗は許されず、いくら高くついても、全員サイマルのプロで陣地を固めるべきだ、と。


すなわち、私の通訳はアマで、本番では使えないという結論だ。この通訳名人はまだ私の英語を聴かれたことはない。昨年の箕面国際ホテルでの同時通訳を見て、私のスキルを知っておられるのはシロー氏だけだ。そのシロー氏が言う。

「サイマルはプライドの高いプロ集団で、組む相手を選びます。センとは組むが、マツモトなにがしと、ブースをともにすることはできない、格が違う、と交渉に応じない」と。

以前インター・オーサカで耳にしたサイマル王国の殿様商法という噂は本当だった。

センの後釜を何度雇い入れても、すぐに馘にされる。ＮＨＫテレビの國弘正雄氏は一匹狼で、都市やマスメディアでの力量は認められても組織を動かす人ではないから、サイマルにとってはちっぽけな存在に過ぎない。だから、村松増美《むらまつますみ》・小松達也《こまつたつや》という同時通訳者コンビが支えるサイマル王国のモノポリーだけが生き残る。まるで珊瑚礁のような強固なシステムになっているのである。

アメリカ大使館の広報文化局がもっとも恐れる相手は、国際会議を牛耳《ぎゅうじ》るサイマル王国と、アメリカをもっとも小馬鹿にする朝日新聞社という2大牙城であったような気がする。その前では、私は吹けば飛ぶような将棋の駒にすぎなかった。

プリマドンナ・セン
Sen, a Prima Donna

1月6日。さらに新しい恐怖が私を待ち構えていた。前年の山中湖での会議でのセンの失態が人口に膾炙《かいしゃ》してしまった。

それはシロー氏が最初に会ったときに言っていた「失敗を人のせい、機械のせいにした」という失態である。詳細を聞いてみると、ブースのなかのセンが、マイクロフォンを握ったまま数分間沈黙を続けたというのだ。しかも悪いことに、さらにはブースから飛び出して、発言者に日本語で説教をした。

「あんたの日本語がさっぱりわからない。主語や述語がないではないか」と。スピーカーは経済学者の西山千明《にしやまちあき》教授だったと聞く（あくまで伝聞だ）が、そもそも日本人同士では、主語や述語がなくてもわかるものだ。それが日本語というものだが、日系米人のセンには日本語の「しくみ」が見えなかったのではないか。そして、「機械が壊れていて、聞けない」と責任を機械工に押しつけるといった醜態を演じたという。

シロー氏は、センにはプロとしての倫理感覚が欠落していると手厳しい。ふたりの日系米人同士はあれほど仲がよかったのに、センの特別扱いをやっかんでいるのか、と深読みしてしまうことがある。だが、そういうわけでもなさそうだ。

同僚の冨永氏は、センをまったく信頼していない。目を合わせようともしない。センから「冨永さんは人の目を見ない。英語の声もうわずっている。松本さんから注意してやってください」と言われたことがある。

しかし、冨永氏は機械担当の人たちともつながっており、「あの言葉で機械工たちは、仕事を失うんですよ。妻子のある人たちを路頭に迷わせてもいいんですか」と正論を吐いている。周囲の声には、「センはプリマドンナ（身勝手な女王様）だから、何をしても許されるのさ」と、あきらめに似た響きがあった。

やはり、センも横柄なアメリカ人だったのか。しかし、アメリカ人もセンのプリマドンナぶりに手を焼いていたようだ。英語がうますぎたのが災いし、なんらかの近親憎悪のようなアンビバレンス（愛憎併存）をアメリカ人の上司たちに抱かせたのではないか。同じ言葉で気持ちが通じる（speak the same language）ということは、逆に心が許せないということにもつながる。

センはアメリカ人から日本人だと言われ、日本人からアメリカ人と呼ばれ、孤独だったはずだ。

その気持ちをよく理解されていた日本人もいた。シロー氏の第一秘書の山内女史だ。よく気がつく、情に篤《あつ》い九州出身の中年女性だった。

「西山さんは、可哀相《かわいそう》なのよ。ひとり娘のお嬢さんをアメリカに残し、奥さんとひっそりふたり暮らし（いずれ妻にも先立たれる）、部下もお弟子さんもいない。日本人からもアメリカ人からも白い眼を向けられて……。本当に孤独なお方……」と。山内女史は、このように情感を込めながらも、無表情なままの私に淡々と語られた。

お呼びでないナニワ英語

Naniwa (Osaka) English Doesn't Belong Here

思い起こしてみれば、大阪時代に無敵と思われていた私の英語力は、スピーキングというアウトプット力に限られていたのではなかったか。13歳から書き続けた当用日記——それは妻が代筆することもあったため、半分〝虚〟であったことが1971年の日記で判明したが——のことを付記すれば、私自身との戦いは、おもにアウトプットというリング上に限られていた。

話せてなんぼのもんじゃい、というナニワ気質が災いしてインプットを怠っていたことが露呈し、反省し始めたのがこの頃からだった。関東と関西では英語と情報の両面で、かなりの差があった。

1月12日の日記をのぞいてみよう。

7時に起きてFENを聴く（大阪と違って、東京はFENが入る）。喫茶店「リッツ」で、イヤホンでFENを聴きながらコーヒーを飲み、新聞に目を通す。

7:40　修行中につき妻子は岡山の実家に待機させ、ひとりでぜいたくな修行を続ける。

8:20　アメリカ大使館に着き、YANKEES & SAMURAIを読む。目黒（東京都）からでは近すぎて、あまり読めない。
8:40　会誌『道』五号のコメントを書く。
9:00　“America shrouded in mystery”（霧に包まれたアメリカ）のトランスクリプション。この仕事が私のリスニング強化につながった。
10:00　メディア部内の上司でアメリカ人のRosaker氏の添削により、英語力だけでなく、情報力のなさに気づいた。
12:00　訂正をした英文をタイプ打ちする。
関西ではspeakingとreadingに力は入れていたが、口語英語のインプットが不足していたことを痛切に感じた。
午後はずっと英語のインプット。映画“Willard”を観た。映画英語で語感を鍛える。
明日からいよいよ、名人センの「しごき」の通訳レッスンが始まる。

鬼軍曹のしごき、始まる

Captain Sen Appears Out of Nowhere

休みがちの翻訳部のチーフに代わって、シロー氏がこの広報文化局が一丸となって日英・英日のグロッサリー（用語集）を作成しようとハッパをかけてこられた。国務省から送られてきた項目は次の通りだった。

something for everyone　総花的
a wide perspective / a large picture　大局的見地
without debate　なし崩しに
the rules of thumb　常識で割り出した（おおざっぱな）
teething problem　乳歯が生えるような問題（いまだにいい訳が浮かばない）

これらは私の得意とする分野で、日英のときは、最悪の場合は、give と get で間に合わせることができるという自信があった。

しかしこのような雑学的知識だけでは、大使館が要求する通訳のレベルに達することはできない。１月13日から始まったセンのワークショップの要求は、半端ではなかった。国際コミュニケーター（international communicator）を目指すというものだから、英語や日本語の訓練だけではなく、人間力の醸成（character building）にもつながってくる。

日系米人のポール藤巻氏、冨永氏と私の３人を対象としたぜいたくなレッスンだ。センがご自身でテープに吹き込まれたスピーチを３人に同時通訳させ、個々にコメントをされる。名人のモデルと私の英語を比べても格段の開きがある。謡曲で鍛えたはずの声が再現されず、声が高すぎて、腹から出ていない。

ポール藤巻氏とはいい勝負をしたが、センの神業《かみわざ》には及ばない。

「このセンの後釜になれる人なんていやしない。いずれオレもお払い箱さ」と、半ばヤケ気味になった私だった。

異文化の狭間に立つ通訳者
Interpreters are torn between conflicting cultures

この日の夜、マイヤー大使のプレス・ブリーフィングを、センが通訳される。センのネイティヴ英語と、品位が高い美しい日本語にうっとりする。品格のある両語に惚れ惚れする。日本人でもアメリカ人でもない。天上の人。まさに天使のような存在だった（He sure is an angel.）。

そのブリーフィングの内容が、翌日の『毎日デイリーニューズ』に載る。

“Japan May Arm With N-Weapons —— US Embassy Sources Indicate ——”

日本が核武装するかも……。

これはただならぬ発言だ。ブリーフィングではpossibilityという単語が使われていた。possibilityとは核武装は「考えられないことはない」という意味だが、possibleがprobable（だろう）と拡大され、mayというあいまいな言葉で意図がぼかされてしまったのだ。アメリカ側があわてたというのもうなずける。

日本には「非核三原則」がある（not to possess, not to produce and not to bring in nuclear weapons）のに、その誓いを破って、核武装をmayかwillするというのだから事は重大だ。mayはネイティブには通じない、和製的（受験英語的）な英語なのだ。

possibleはnoに近いが、probableはyesに近いのだ。「だろう」が難訳語であるという意識は、日本人にはないのだろうか。

ちなみに日本人はこの語感（feel for language）に乏しく、しばしば外交上の問題を引き起こしている。ほぼ単一に近い言語国家であるがゆえの悲劇といえる。

こういう異文化が衝突するピリピリした状況に何度も追い込まれ、通訳者は常に神経をすり減らしている。

不退転の決意
Burn the Bridges Behind You

日記を下敷きにして、私の追憶は続く。正月が明け、まだ18日目というのに、嫌なニュースが入った。アメリカ大使館の予算削減で、人も大幅にカットするという。ＵＳＩＳ（アメリカ大使館広報文化局）が縮小すれば、ムダな人材から切られる。トップから見て切りたい人間は、私のような未証明な人材だろう。

いや順序からいけば、米人の直属である日系米人、そして奴隷状態の現地雇用の日本人。それともコワモテ過ぎるセン・ニシヤマかも。まさか、センも **a bad old shoe** として、使い捨てに？

いつ解雇されるのか。あの人か。それとも、私が先に……。

大使館内はこんな話題で持ちきりだった。

カーター大使が臨時集会を開いた。

「組織の建て直しとは、人員を減らすことではありません。タレント（人材）をいかに有効的に活用するかということです。いまに始まったことではありません。私だって予言者ではありません。先のことはわかりません」

大使の発言を、名人が見事な日本語で、逐次《ちくじ》通訳される。

1時間ぐらいの質疑応答が始まった。

Hという日本人館員が「予算削減という緊急事態が発生して我々が急に解雇されることもあるのでしょうが、それは困ります。我々にも心の余裕というものが必要なんです」と。

その苦渋《くじゅう》に満ちた館員の日本語を、センは psychological adjustment period とか、a sense of leeway という日本人離れした、鋭い英語で訳されている。

まるでモーツァルトの音楽を聴いているようだった。癒しの英語（healing English）だ。うっとりしている場合じゃない。私の皺がいつ飛ぶかわからないというのに。

でも、私は逃げられない。これも同時通訳の修行なのだ。不退転の決意で、センに弟子入りしたのだから（I have burned the bridges behind me.）。

その雑談、万金に値する
Sen's Words As Golden Rules

翌日、私のオフィスに、ふらーっとセンが現れた。

「明日、ワークショップをやりましょう」

こうして私のデスクの横で雑談が始まった。たとえ数十分であろうとも、貴重な情報源になる。その日の日記に書きとめておく。

「ライシャワー大使がよくおっしゃっていました。日本人が『多くの』という言葉を、manyと訳しては誤解を招きます、と。人口の10分の1でも『多く』になりますからね。日本語とは難しいものですね」センは以前、駐日アメリカ大使ライシャワーの専属通訳だったのである。

manyに関しては、関西英語界でディベートの大家として知られていた私も口癖のように言っていたことだった。「manyと相手が言えば、Name one.と突っ込め」と。

つまり、こういうことである。

「あの、多くの人がそうだと思うんです」

「多くの人って？」

「女房とか……」

「奥さん、おひとり？」

「いや、たぶん、やつとその友達――名前は知りませんが」

「あなたがおっしゃっている『多くの人』とは奥さんおひとりのことですね。名前が挙げられないおひとりと。――以上、反対尋問、終わります」

つまり、manyは、引用価値がないということになる。

この日、名人とのちょっとした雑談で、日本語の訓練が必要であることが再認識できた。

第3章　天才センとの日々

初陣で惨敗
The First Disaster: Down But Not Out

アメリカ大使館から初めての通訳依頼で緊張した。

USIS（アメリカ大使館広報文化局）の威信にかけて、ラリー・シークレスト氏（軍事専門家）の講演通訳を六本木の国際文化会館でやることになった。初顔合わせとなるシークレスト氏と会ったのは、講演が始まるわずか10分前で、数分間だけ、こんなことを話すからと言われホッとしたが、甘かった。準備していたスピーチ原稿が棒読みされたのだ。テキストを一方的に読み上げられては困るのだ。センだったらカンカンになって、怒鳴られるだろう。「話せ、読むな」と。いまなら私も言えるが、新米の私には、そんな注文をつけることはできない。

パニックになった。「あのぅ、もう少しゆっくり読み上げてもらえませんか」と哀願する。同時通訳ブースに設置されている赤色のパニック・ボタン（緊急事態発生通知ボタン）はないから、逐次《ちくじ》通訳は、かえってつらい。観衆の視線を集中して受けるのだ。逃げられない。

舌がもつれ、汗が出てくる。読み上げられたスピーチの「流れ」がつかめないときほどみじめなことはない。頭が真っ白になって20秒ぐらいは沈黙が続いた。その日の日記には……20 minutesと書いてしまったがsecondsの間違いだ。1秒が、1分に思えたほど長かったのだ。

ウエノ・シロー氏は「ベランメー調の日本語はタブー。もっと品格のある日本語を学び、メモの取り方を研究すること。初めてにしてはまあまあ」とコメントは甘かった。私自身は失敗であったと認めている。

私の失敗談はどうでもいい。私はセンのことが気になっていた。センが前年の山中湖のUSISプログラムで演じたあの恐怖の沈黙も、追い詰められて犯した失態だったかもしれない。

通訳者も、AIロボットではない。狂うこともあるのだ。

1972年1月31日、長男の道人《みちと》が3日前の28日、岡山で交通事故に遭って入院したという知らせを受けた。同通修行中の夫にはできるだけ心配させまいとする妻の配慮から、死亡しなかったことを確信したのちの、3日遅れでの知らせであった。

飛んでいきたいが、USISの仕事は目白押しだ。

2月2日の講演通訳は、通訳技術に加え、雪辱戦として、情報力で完全に知的武装しておく必要があった。道人は時速50キロメートルの中型トラックにはねられて、5メートル飛び、一時は呼吸停止した。そのあと病院に担ぎ込まれて14針を縫ったというから、重体だ。しかし、舞台に立つ役者のような私は、身動きがとれない状態だった。

2度目の挑戦は、「アジアに於ける日米関係」というテーマだ。やはり、日本の国際政治がテーマだ。

講演者のデュームリング氏（政治担当、第1書記官）は、かなりの大物スピーカーとみえて、多くの国際政治学者が、国際文化会館に集まった。

そのひとりの大井孝《おおいたかし》氏（日米会話学院元学院長）には、デリバリー（話法）をほめていただいたうえ、日本語訳にあまり英語を入れないように、できれば日頃から関連記事や書籍に目を通して、「常識」を膨らましておくこと、とのコメントをいただいた。

かろうじてリベンジを果たしたようだが、泣き泣き合格というところだ。この報告はセンの耳に入っているはずだが、コメントはない。叱られることはない。このちょっとした息抜き期間に乗じて、トラックの運転手との示談のために妻の実家の岡山へ戻った。

大使館は減点主義

Embassy's Demerit System Is Killing Us

３度目の講演通訳は、同じく国際文化会館にて「沖縄返還後の日米関係」というテーマで、アメリカ大使館のキリオン氏（政治担当）の通訳をすることになった。

多くの国際政治に強い著名人たちの前で通訳するのも慣れてきた。講演後の雑談のときにはいつものように「ほんとうに、海外の経験はないのですか」とか「心まで通訳されているプロとお見受けしましたので、今後、通訳をお願いするかもしれません」と、歯の浮くようなコメントも多く、まるで天国に昇ったような気持ちで帰途についた。ようし、これからやるぞー、と、ますます夢が膨らんだ。

しかし、大使館は甘いところではない。地獄が待っていた。

10日経ったときのことである。シロー氏から、あのキリオンの通訳はなんだ。Very bad! といきなり冷水をぶっかけられた。さらにセンから大目玉を食うのを覚悟しておいたほうがいい、との脅しのおまけもついた。

沖縄問題に関する知識が浅いと、事実を指摘されて反論の余地もなく、勉強します、と頭を下げるよりほかはなかった。天国に昇ったと思ったのは、参加者のおほめの言葉の効果で、志気が高まったと思ったからだ。しかしアメリカ大使館はあくまで減点主義だ。地獄は志気を高めるところではない。死を覚悟させる刑場だ。

センから雷が落とされなかったのは、情状酌量だったのか。そういえばセンは、「アメリカ大使館の減点人事では、人はやる気を失いますね。ここではプロは育たないですよ」と、自嘲的に述べられたことがある。この減点主義という官僚システム固有の足かせ（a fetter）が、同時通訳者の神経をさらにすり減らすものではなかっただろうか。

減点主義では、誰もがますます自己保全に傾き、暗くなる。

仲間も同業者同士も、お互いに讃え合うことはない。必ず批判するのだ。自己を肯定し、他を否定するのも自己保全。これでは、人間不信になる。

2月26日、家庭内のストレスもピークになり、夫婦間の相互不信が頂点に達してきた。初めて、離婚の話がどちらからともなく飛び出した。人が信じられなくなる精神的な不安定が続き、心身ともにくたくたになり、通訳に集中できなくなる。一言の誤訳で、「もうやつを送るな」という非情な地方のアメリカ文化センター館長の顔が浮かぶ。シロー氏のところへ寄せられる苦情の数々で、シロー氏も頭が痛いはずだ。

「あのマツモトという通訳者は失格だ。untenable（擁護ができない）という英語が訳せなかった」と具体的に指摘されたときは、恥ずかしさで赤面したものだ。瞬間に適訳が思いつかなかったが、日本語のわかるアメリカ人にとり、難癖をつけるのは功績につながるらしい。減点主義という評価システムは他者を貶《おとし》めることで、自分を守るという非情な環境のうえに立つものなのだ。

シロー氏が最初に言ったことは本当だった。アメリカ人の上司にダメというレッテルを貼られただけで、一瞬のうちに馘《くび》が飛ぶ。アメリカ人が（白人中心）君臨するというのが大前提なら、センでさえ瞬時に馘を切られても、不思議ではない。それでもトップに留まるセンは、天才通訳者だ。こんな砂漠で……。

ある先輩が教えてくれた。「松本さん、甘いよ。ここはアメリカ風に自己正当化し、他人を蹴落とさなければ自分の馘が飛ぶんですよ。西山さんはバナナ（banana：外は黄色だが、中は白、つまり外見は黄色人種だが中は白人）だといわれているんですよ。館内の日本人にいくら人気があっても使い捨てられるときは一瞬。ここはそういうところですよ」と。つまり、センが馘にならないのは天才でかつ日本人に人気だからではなく、アメリカ風に自己正当化するのに長《た》けているからなのだと。

そう言われてみれば、「あなたの日本語がさっぱりわからない。主語と述語がない」と一流の経済学者に対し、公の席上で説教を垂れるのも、一種の自己正当化（self-justification）ではなかったのか。センはバナナ（日本人の顔をしたアメリカ人）だったのか。崩壊しつつある家庭をかかえながらも、私はなぜセンを慕ってここまで来たのか。同通の神様として慕い続けていくと覚悟した私でも師の本性が見抜けず、悶々とした日が続いた。

西山語録①：通訳はど根性の仕事
Quotations from Sen: Grin and Bear

２月29日、「パッケージ・プログラムでは、死力を尽くして頑張ります」と書いたメモをセンに渡したところ、すぐに電話をいただき、そのあとでまずかったあのキリオン通訳のコメントに引き続き、通訳の心構えをこまごまと教えてくれた。

西山語録として、ここに備忘録を残しておこう。

1．通訳とは言葉以外のプラスアルファを滲ませる（osmosis）ことが必要だ。言葉の表情、前後関係からニュアンスを把握する経験を積むべし。
2. 世界地図を頭の中に入れていつでも描き出せるイメージ力を養うこと。East Asia は、東アジアであって、東南アジアと区別しておくこと。これは常識である。
3. Japanese military は、日本の軍事力ではなく、日本の防衛または自衛力のこと。日本語の概念をしっかりつかむこと。
4. We shall divide up を「私は便宜上…」と訳したが、「私は」は不要。日本語のくせを利用して主語を抜いてしまえばいいだけのこと。
5. We neither confirm nor deny the presence of nuclear weapons. これは法律上禁じられており、言質を与えることができなかったという意味で、非常に重要な箇所なのに、訳されていなかった。(ぐうの音も出ない)
6. 英語でアーハンとか、ウーフンという相槌を打つことは失礼である。
7. People of Okinawa は、沖縄人ではなく、沖縄の住民(5月15日以降は沖縄県民)と訳すべし(沖縄はこの年の5月15日、アメリカから日本に返還された)。
8. 日本の自衛隊の沖縄への進駐は、「駐在」から「移行」に変えるべし。
9. base employee とは、基地に住んでいる日本の従業員。
10. expect とか might have been の説明をしていたが、通訳者が解説をしてはならない。

expectは「予期しうる」と訳せばいい。

最後に、同時通訳の場合、正確度は60パーセントくらいであっても、それに安住せず、常に100パーセントを目指すべきだ。

私の英語の一部始終を聴かれ、メモに従って解説してくださった。こんなぜいたくな授業はない。頭の下がる思いでいっぱいだ。

3月3日の西山語録は、心構えに近いものだった。

1．あまり飲むな、あまり食べるな。

——通訳の出来・不出来は肉体的コンディションに大きく左右される。

2．通訳の前夜は、よく眠ること。

——チームワークを乱さぬためにも。

3．夜遅くまで通訳の仕事をした次の日は、半日か、一日は休むこと。

——肉体と精神のバランスは50対50であり、柔道やテニスなどのスポーツと同じ理屈だ。

4．あまり早口でしゃべるべきでない。

——いかに聴き手に心地よく響くか、よーく工夫しながら話すこと。

5．通訳は心理的にきつい仕事で根性が要る。

――誰にでも勧められる仕事ではない。

日本語力こそ通訳力
Mother Tongue Speaks Louder

センが主導の同通ワークショップが毎日のように続く。

最初十数名の英語の猛者《もさ》がボランティアとして集まったが、脱落は早い。日系米人のポール藤巻氏も、通訳は勘弁してほしいといって辞退。残ったのは翻訳畑の冨永氏と私のふたりだけとなった。冨永氏もよく病欠し、私ひとりだけのレッスンの日もあった。

館内スズメ達はささやき合った。西山さんは人を育てるのは苦手。みんなが辞めて逃げていく。あの人についていく人は誰もいない、という噂が広がった。しかし、私はセンを弁護する。アマを育てるのは甘く（soft love）でいいが、プロを育てるのは、愛のムチ（tough love）が必要なのです。ついていけなかった人は、すべて落ちこぼれなんです。センの教育訓練は間違っていません、と。

まるでソクラテスを弁護するプラトンのような心境だった。そんな私のヤセ我慢を支えていたのは、私の意地、いや武道精神だった。「先生、僕をしごいてください」と、言い続け、センに食らいつき、最後までギヴアップしなかった。

この「しごき」という言葉を、センは、be rough on meと訳されていた。このしごき(roughness)が、別れる最後の日まで続いた。

あるとき、サイマルの村松増美氏が「西山さん。松本さん、死んじゃいますよ」と、私をかばってくれたという。その発言をセンは、いつものように笑い飛ばす。

「村松さんが、松本さんが死んじゃいますよ、とね。でもご本人の松本さんが、しごいてくださいと言うもんだから、僕もバカだから、文字通りに受け止めてね……ワッハッハ」

この笑いが、私には「癒し」になった。師匠がこんなに高笑いをされている。私を笑いのネタにして。

大阪出身の私には、いじられる（大阪でいうところのいじめられて可愛がられる）ことは、至福の喜びであった。

３月７日（この前日やっと32歳になった）も、いつものワークショップで、くたくたになっていた。

テープを回され、ミスを指摘される。ほらこんなミスをしている。もう一度テープを回しますよ。わかるでしょう。僕の言ってることが。じゃあもう一度回しますよ……「もういいですから、先生」と泣きそうになる。こういうふうにされると、東京人は泣かずに黙って辞める。大阪出身の私でも、ここまでされると泣きたくなる。笑い顔でごまかす域は、とっくに越えている。

泣き出したい気持ちを抑えている私に、センは執拗に私のミスを指摘し続ける。

とくに私が苦手なのは英日の通訳（英語から日本語に訳す）だ。上京してから、英語のインプットは異常に膨れ上がったが、それに日本語力が追いつかない。正確な日本語の勉強をやったことがない。関西弁のくせを直すために、鈴本演芸場に通って東京弁を学んだのはいいが、東京弁と江戸弁が混同してしまった。ベランメー調の日本語は使うなとシロー氏に叱られ、日本語は私にとり恐怖の言語となった。

残念ながら、ここアメリカ大使館が重要視するのは、英日翻訳（通訳）力だ。つまりは日本語力だ。

30歳ホヤホヤの（私より若い）冨永氏のほうが英日力では一枚も二枚も上で、正確性を重視するシロー氏の評価は高い。冨永氏は英日、私は日英（日本語から英語に訳す）と役の振り分けが決まってしまった。役割がスイッチすることは滅多にない。だから、私の英日はチャンスの不足で伸びないままだ。

その日の夜（3月7日）、カーター公使宅で、プレス・ブリーフィングが開催される。

通訳を棄権されたポール藤巻氏が車で送ってくれる。

８人の大手メディアの記者が集まって、全員が英語をしゃべっている。情報通の人たちばかりなので、英語のスピーチは、１００パーセント近く理解できるらしく、通訳者など必要とされていないくらいだ。それでも懸命に英日通訳をすることは、私にとってはつらいが「行」になる。逆に情報を教えてもらうことになる。

ブリーフィングのあと、カーター公使夫人から、私の英語がほめられた。"Where did you get such beautiful English?" と。しかし、私の英語など評価につながらない。あくまで大使館が相手にする大物たちは、日本語しか聴いていない。

冨永氏と私の評価の差はますます開いていく。そして私が追いつめられていく。

通訳はシンボルの交換
Getting Symbols Right Is the Name of the Game

センのワークショップが毎日のように続く。３月９日の日記には、絶望で頭を抱えている私自身のイラストを描いた。見出しには、１．「日本語を一からやり直し」２．「ＦＥＮ（米軍極東放送網）を英語でフォロー・アップするより、英日の同通をやる」と書いている。

浅草で私が好きな東映の任侠映画を見ても、頭の中で日英の同通をしてしまう。いずれ日本一の同時通訳者になって師匠に恩返しをするには、いまは耐えなければならない。忍の一字。子犬のように、この師についていく。あの変人（いや、職人かたぎの、と言ってほしい）の西山千のポチか、と周囲にあざけられても「ポチです」と答えるしかない。

シロー氏の秘書の山内女史が「西山さんは、孤独な人です。松本さんも西山さんについて行かれたら、苦労の連続になるでしょう。その苦から逃げる道は、ひとつしかありません。それは松本さんご自身が日本一になることしかないのです」と、突き放した。tough loveで援護射撃を続けてくれる。いまもっとも会いたい――まだご存命なら――女性だ。

この日のセンのコメントは、ワンセンテンス遅れてもいいから、ゆっくりあわてずに同時通訳すること。日本語は美しく、耳に響きがいいように話すこと、この1点だった。

日本語は母国語だから、自然に口から出るように練習を積んでおくこと。使う言葉を選んでいるとヒアリングが落ちる。エーアーと言っている間は、必ず言葉が逃げている。同時通訳学校で教えている手法はデタラメだらけ。本質を教えていない。

英語が得意な人は、どうしても日英通訳を選んでしまう。歌舞伎役者でいえば、日英は男形のように思える。英語力で勝負しようとする人は日英に傾く。

プロ通訳者のなかに、私は日英しかやりません、という美しい英語の使い手がいた。名前は伏せるが、センの評価は低かった。その方は同通のやり過ぎか、情緒不安定がこじれ、精神疾患で引退されたようだ。

センは、サイマルの村松増美氏の英日は天下一品と絶賛されていた。私の意見では、日英の西山千名人とはまさに両横綱である。ご両人に共通する点は、自分の英語に酔う通訳者は見苦しいと考えられていることだ。通訳をしているという気配を感じさせてもいけない。たとえばセンは、manyを「多くの」と訳すのは危険だといわれる。たとえサイマルの通訳者が「多くの」と訳しても、べつに批判をせず、『私なら……』という方も、結構いらっしゃいます」と大和《やまと》言葉を用いる。そういう配慮が西山流派なのだ。ひらがな調の大和言葉が多いから、歌舞伎の女形のようだと、形容したくもなる。

日英ばかりやっても、日英の伸びには限界がある。

英日にも挑戦しなければと、プロは必ず考える。

私もセンに聞いた。「日英と英日、先生はどちらが得意ですか」と。意外、「さあどちらでしょうか」であった。これがプロの解答だろう。

西山千・村松増美・小松達也そして國弘正雄という同通の大御所は、英日で勝負されてきた。ただ最後は、日本人通訳者の母語である日本語で勝負すべきだ、というのがこれら同通名人たちの本音だろう。西山語録の中に、キラリと光る教えがある。
「通訳とは、シンボルの交換のことです」

同時通訳者よ、進軍ラッパを鳴らせ *Simul-interpreters. Sound a March*

待ちに待った大使館主催のパッケージ・プログラム（Industrial World Ahead 1990）が、3月14日、福岡アメリカン・センター（福岡ＡＣ）で火蓋《ひぶた》を切った。同時通訳者たちは進軍ラッパを鳴らす。青年会議所ほか、大学教授が50人という祭典も、通訳者にとっては合戦でしかない。ちなみに、この頃各地のアメリカ文化センターは再編され、名前も「アメリカン・センター」と改称された。アメリカン・センターの威信にかけても、この合戦は勝ち戦として初陣を飾りたい。大使館通訳者オンリーの布陣だ。

最初は、ウェイズという人の講演。英日は私が一番バッターで冨永氏が続き、センがフィニッシュ。日英はセンのひとり舞台となった。私は前半はまずまずだが、後半は調子が出ず、effectを影響か結果と訳すべきかモタモタしていると、センがマイクを私から奪い、また「多国籍企業がフランス色濃厚になったとき」と言えば、顔をしかめて再びマイクを握り、「フランス色がなければ存続しない」とサラリと訳された。あとの英日は冨永氏とセンのふたりのコンビだけで、私はまるで蚊帳《かや》の外といった、みじめな状態に置かれてしまった。

日英で返り咲く幕はなかった。もともとアメリカ大使館の仕事は英日が主体なのだ。初日が終わって、センは上機嫌だった。これなら大使館の三銃士でやっていけるぞう、とセンは大満足であった。

2日目のセンはまるで鬼軍曹だった。冨永氏と私との間にいて、ひっきりなしにメモを回す。英日、日英の両刀で立ち回るセンのコーチぶりは、まさに神業《かみわざ》だ。超ご機嫌で、この日の西山語録も冴えている。

1. 通訳ではなく、通訳者と呼ぶべきだ。（翻訳とは違って、）通訳に対する日本人の認識は低すぎる。
2. 西洋のデモクラシーは、民主主義というより、〝民主道〟と呼ぶべきではないか。
3. プロはアメリカ人であれ日本人であれ、約束を守るべきだ。意見をコロコロ変えないこと。いかなる空気や場でも、ぶれないことがインテグリティー（integrity）だ。
4. 〈センの近著『通訳術』〈実業之日本社〉について、なぜ「術」をつけたのか、理由と問うてみたところ〉「道」よりも軽妙な響きで、しかも「術」の中に多くの意味を含めた。わかる人にはわかる（たしかに関東は、術で勝負するところだ）。

5．日英、英日も難しさは同じ。サイマルの村松氏も、小松氏も、日英のほうがやりやすいといっているのが不思議。聴いている人にとって、どちらが親切かということを念頭に置け（西山流のサービス精神は、これに尽きる。あくまで受け手に気を配れということだ）。

6．B.F.スキナー（アメリカの行動主義心理学者）の意見に反対。思想統一という言葉に抵抗を感じるのは、戦前派だからであろう。

翌日（3月16日）の、西山語録は続く。

1．僕はクリスチャンだが、牧師はきらいですね。松本さんから聞いた小豆島《しょうどしま》の宣教師夫人の話、無礼ですね。「キリスト教に関心があります」と言う松本さんを嘘つき扱いするなんて。怒鳴《どな》ってやればいい。とくに「イエスさまがおっしゃっていました」というセリフが気に食わない。あれだけの弟子を引っ張っていかれたリーダーなら、ハラ（抱擁力）やユーモアもあったでしょう。あんなやつれた顔はリーダー向きではない。ぼくが画家なら、もっと豪傑らしく描くだろうね。――たとえば若《わか》山富三郎《やまとみさぶろう》のような男優の顔を。

2．僕の父は明治35年生まれの軍人気質で、よく僕に言いました。「お前は日本人だ。大和魂《やまとだましい》をもっている」と押しつけられて、反発を感じました。あの気性で、よくアメリカで定住できたものだ。僕のおばは、千宗室《せんそうしつ》の先生の西山ソウキョ（？）といわれた、男のような女でした。おじは染島（いまの倉敷の一部）の男の中の男で、刺客に狙われていたときに、ちぎりとった桜の木をうっとりと眺めながら歩いていたので、刺客もポカーンとして、殺す気にもなれなかったようでした。

3．僕は生まれたときから、日本語は日本語、英語は英語と割り切って話す習慣があって、決してそれを才能とは思っていません。

4．日本の官庁に20年間勤務していたことがいまも役立っています。日本語を学びながらエンジニアの仕事を通じて、日米の架け橋になってやろうという夢は、いまもも ち続けています。それからGHQに入り、USISの仕事が耳に入って、今日に至りました。スカウトもいろいろありました。

5．誠成公倫会の八島義郎先生の「４年３ヵ月」の予言は気味が悪いねえ（そう言ってお笑いになった）。

6．気質《かたぎ》とは、sense of callingと同じじゃないでしょうか。

この謙虚さ。センはどう見ても日本人だ。

西山語録②：「間」がすべて

Quotations from Sen: The MA, the Critical Pause

４日目の名古屋アメリカン・センター（名古屋ＡＣ）の決戦も好調。福岡でお参りに行った太宰府天満宮のおみくじが「大吉」であったからか。

センは、今日も上機嫌。「西山語録をつくりましょうか、先生」と言えば、イヤーと照れながら大笑い。いまこうしてペンを執り始めると、いまもセンが私のそばにおられるようだ。この日も、プログラムは順調に進んだ。

西山語録に入ろう。

1．センテンスの切れ間には「間」を置くこと。「間」がないと、聴いている人の耳には快く響かない（「間」を英訳すれば、**critical pause**）。

2．サイマルの小松達也氏の通訳ぶりから学んだ。大きくセンテンスを抜かすくせがあるが、そのくせがなくなれば、立派な小松流派ができる（國弘正雄氏とセンと同意見）。小松氏の通訳から学ぶことは多い（日米会話学院元学院長である大井孝氏も、小松流派になる）。

3. 松本さんはまだ32歳ですか。これからが楽しみですね。僕が同時通訳を始めたのは38歳ぐらいでしたからね。最初は不可能と思っていたのですが、やればできるもんですね。絶対ムリだとおっしゃっていたライシャワー大使がびっくりしていましたね。

4. サイマル王国という構造は、決して健全な姿ではない。サイマルは、国際会議の速記議事録作成などの仕事をやめるべきだ。芸者の置屋というイメージから脱却すべきでしょう。

5. ヨーロッパでは、定年を過ぎて70歳を超えた人でも、年金なんかあてにせず、現役バリバリの通訳者がいます。

6. 同時通訳養成という看板を掲げて儲けている商業主義に立腹します。通訳のプロになるには、最低5年はかかるんだよ。斎藤美津子《さいとうみつこ》氏（国際基督教大学名誉教授）もそうおっしゃっている。１年コースでプロ通訳になるという看板に偽りがある、と日米会話学院の坂橋さんにも直接申し上げたことがあります。

通訳の仕事から解放されると、豪快になり、評論家のように舌鋒《ぜっぽう》が鋭くなるセンだった。この同時通訳者はまさにオールマイティーの天才（Sen has it all.）。野球の世界なら間違いなくイチロー選手。

3月18日、京都アメリカン・センター（京都ＡＣ）での同時通訳もＵＳＩＳの３人組で、見事にフィニッシュを決めた。センは今日も上機嫌で、部下のふたりを高級レストランに誘ってくださった。キャビア入りのサラダが出た。

「高価だなあ」と私が言うと、センはここぞとばかりに、プロ通訳者の威厳について語られた。品格（character）というより、威厳（dignity）という言葉を使われた。

プロ通訳者は、ふつうの教授や、いわゆるインテリ層とは比べものにならないくらいの幅広い知識と、精神的スタミナをもっている。通訳者をしているからといって威張る必要はないが、決して卑屈になる必要もない。国際通訳者協会では、通訳者の待遇は、ホテルも乗り物もすべて一等級であるべき、と規定している。近くの食堂でうどんやそばを食べてもいいんだが、そのような認識をもってもらうために、このような一流のレストランを選んだ。

プロ意識とは、プロであるという矜持《きょうじ》がなくてはならない。決してブースにケチをつけるな。その日の日記に「スピーカーにケチをつけない」と下線を施して、加筆した。冨永氏も苦笑いをしていたかもしれない。

そして太宰府のお守りが奏功したのか、ついにサイマルの力を借りずに、ＵＳＩＳの三銃士が一体となりここまで完遂できたのである。One for three. Three for one. セン、いや西山名人に接近できたと、この日初めて実感した。

パッケージ・プログラム、半ば終了
Mission Impossible Half Done

パッケージ・プログラムも、３月24日からの札幌アメリカン・センター（札幌ＡＣ）で峠を越した。

冨永氏とふたりで好調な滑り出し。しかしセンには疲れが目立ち通訳も乱れ始めた。ウェイズ氏の英日は冨永氏と私のふたりでうまくいったが、パネリスト参加の質疑応答となると、日英を得意とする私とセンのふたりで、受けもつ。センに疲れが出たのか、いつものイライラが始まった。機械がおかしい、と怒り出す。またあのプリマドンナ・センが戻ってきた。いかに冷静な私もキレそうになる。

パネリストの伊藤先生の“Greening of America”からの引用である、意識の三段階の日本語がセンには聴き取れず、私が“consciousness 1, 2, 3”とメモに書いて手渡した。

しかし、むくれたような顔つきで無視されたので、会議の流れがまずくなった。うれしいことに、ゲストのウェイズ氏が、そのことを察して引用してくれたので、ホッとした。センはまだ怒ったままだ。機械が壊れて聞こえなかった、と。

その声がマイクから場内（60名の参加者）に漏れてしまった。私が通訳している最中にも遠慮なくメモを何度も回され、やりにくくても我慢したが、同じことをされてムキになられるとは、かなり焼きが回ってきた（losing his sharpness）ようだ。

この日は語録編集はあきらめ、翌日（3月25日）にした。

ウェイズ夫妻、林雄二郎《はやしゆうじろう》先生とセンがＪＡＬ（10:20 a.m. 発）に同乗し、帰路についた。

ここぞとばかりに、センの話を思い出すまま日記に書いた。

1．本を書くと、自分の勉強不足が思い知らされ、みじめになる。

2．冨永さんは人の話を聞かないから、チームワークが乱れる。人の目を見るように忠告して欲しい。

3．住みたいところは北海道と宮崎県。仕事をやりながらとなると、やはり東京。

4．生駒《いこま》では、月1・5万円で生活ができるが、東京では5万円以上かかるのはしかたがない。授業料だと考えればいい。翻訳の仕事は勧められない（センは、翻訳者を格別に意識されていた)。

5. 評論家の相馬《そうま》雪香《ゆきか》さんが頭のキレる人で、私とは同時通訳のことで、渡りあったことがある。彼女のお嬢さんの原不二子《はらふじこ》さんは語学の天才で、滞在地の言葉など、あっという間に覚えて、使いこなされる。

6. 私はもともと理数科系の人間で、数学には明るかった。USISの仕事で多くの人に出会い、人文学に興味をもつようになった。工学科の人たちの思考は理論的だから確率統計学にも明るくなる。エコノメトリックスや、計量経済学が脚光を浴びてくるでしょう。私が理屈っぽいといわれるのも、理数系のバックグラウンドから来ているのかもしれませんね。

7. カッパ・ブックスから、原稿を頼まれたことがあったが、頼み方が気にくわなかったので断ったことがある。紹介文にしても、文章の一字一句で間違っていたら、僕はうるさくなる。

センの孤立

Lone Wolf Sen

センは、ＵＳＩＳ企画のキャプテンとして、パッケージ・プログラムを無事に終えられてルンルン気分であったが、シロー氏によると、センの醜態に立腹しているアメリカ大使館スタッフから、センを通訳の仕事から離せ、とのコーラスが湧き上がっているとのこと。とくにある東京の会議場での「内藤のバカを取り替えさせろ」という罵声《ばせい》が聴衆の耳に届いたこと（その場に私はいなかった）、そして札幌ＡＣでの醜態（私も目撃した）が加わり、通訳業務は若い世代に移行させようという動きが高まっているとのこと。

その話がただちに、シロー氏の秘書の山内女史の耳に入った。喫茶店でふたりで話したとき、開口一番、老害として殺処分される、哀れな老犬・センの末路の話がまたぞろ飛び出した。

「最近の西山さんの乱行ぶりは見るに堪えません。とくに怒りっぽく、ピリピリして、周囲とますます遊離していくようです。完全に孤立し、淋しそうに見えるときもあります。ひとりのお嬢さんはアメリカへ行ったまま音信不通。男の子がおらず、いつも奥さんとおふたりで、マンション暮らしをされています。友達はひとりもいない。こんなに日米関係に尽くした人が、周囲から冷たい目を向けられ、狂人扱いされているなんて、お気の毒」と。

アメリカという精神風土が、センを生かし、一方で殺そうとしている。私にとっては、センを追い抜く絶好のチャンスなのに、喜べない。日本の古文でいうように、愛は哀しいものなのだ。先生は孤独だろうな……。そう思うと自然と涙が流れた。しかし山内さんには見つからないように、横を向いて涙をふいた。

山内さんがポツリと言う。

「結局、松本さんが一人前の同時通訳者になることよ」と。

帰りの地下鉄のなかでもとめどなく涙が流れた。これが日本一の同時通訳者のなれのはてなのか。

ＵＳＩＳの西山千を追放しようというアメリカ人上司たちの動きが過熱し始めた。シロー氏もセンをかばうことをせず、セン批判がますます毒気を帯びてきた。

「センに高い給料を払っているのだから、通訳などさせずにプログラム・デベロップメントといった高度な仕事をさせるべきだ」と、私の前でこぼす。センが言ったように「アメリカ人にとり、通訳者は、ひとつの道具に過ぎない。壊れた機械は使い捨てられるんだ」というのは本当だったのだ。センは、仲間のシロー氏からも見捨てられている。

当時の私の日記の語調には、憤りが見える。オレはセンのような同通の機械なんかじゃない。センもオレも奴隷なんかじゃない。

演歌「天城越え」の「あなたを殺していいですか」というセリフは、男女の恋歌なんかではない。男同士の断末魔の狂歌として、いまの私の心にも響く。名誉の死——そんなものは同時通訳者にはない。もしこのままアメリカ人に通訳者・センが殺されるなら、この日本人の僕が先生・センを殺していいですか。

日米知事会議での失敗
The Price for Dropping the Ball

センが狙い撃ちされるということは、一心同体とみなされている私の存在そのものも危うくすることを意味する。

あの手負いの熊、センをかばう唯一の人間はだれか。1年間の見習い期間も終わっていないあの生意気なマツモトという男。入館して、半年も経っていないのに、邪魔者として、いやセンと殉死する覚悟の危険分子として抹殺せねば、というところまで追い込まれた。子犬のようにセンに連れ添った私は道連れとなった。

まったく息がつまりそうな雰囲気のなかで、唯一の息抜きといえば、日米知事会議の通訳の委嘱を受けたことであった。職務規定（job description）が通訳であるから、いまからすぐに準備しろと言われたら、従うしかない。組織のパーツに過ぎないのだから。

私のパートナーに、サイマルの田沼博基というベテランが選ばれた。11年間近く、アメリカで国務省の仕事をされていたという。サイマルの層の厚いこと。これほどのプロを抱えているサイマルは、さすが王国だ。重厚なベテラン通訳（43歳）に対し、まだ軽薄な私（32歳）はユーモアを活かすのだと、戦略転換を図った。

それからまもなく、田沼氏に代わり、同じくベテランの上田氏（50歳）が担当する。うーん、サイマルは本当に層が厚い。関西の通訳業界が、束になってかかっても勝てないわけだ。ようし、私は軽業師となろう。サイマルそしてこのツアーに同行していたＪＴＢのプロ通訳と真っ向からは戦えない。

とにかく10日間、アメリカの知事たちのお伴をするのだから、砂漠のなかでオアシスを見つけたような心境だった。

ある知事夫人に「よく耳にするが、あのfamily jewelとはなんのことですか」と聞いたら、「私の主人に聞いてよ」と冷たく返された。

そして夫の知事に聞くと、睾丸（testicles）のことだ、と知って赤面した。

マイクを握った私のガイド通訳は、まるでコメディアンのノリに近かった。マフィアとヤクザの比較をしたり、武士道のルーツを解説したり、鹿の減少をディベーターになりきってクールに分析したり、それを短く詩的にまとめあげたりして、我ながら驚くほど人気者となった。バスのなかでの私の最後のあいさつも、コメディアン風にまとめた。

Governors and their wives. My last announcement. This trip is one of the most exciting trips I've ever made in my life, second only to my honeymoon trip. (Laughter)

I enjoyed every minute talking with you, laughing with you, testing wits with you. I learned English from you, lots of slang from you. I did babysitting for you, playing housemaid to you. I got teased and pushed around.

But you have no more Mike to kick around anymore. (Laughter)

ここまではよかったが、調子に乗りすぎたのか、最後に、お願いがある。日米関係をよくしたいので、アメリカを訪れ、みなさんとの親交を深めたい。カーター公使によろしく、一言だけでもお伝えください。

よろしく（putting in a good word for ～）と、よけいな言葉が口から出てしまった。不覚！

しかしこれは、私の上司のセンが不当にいじめられていることを、アメリカで暴露したいという捨て身の先手であった。"Don't kill Sen." とアメリカでぶちかましたかった。どうせ大使館での私の余命も短い。My days are numbered.

この頭越しの外交が私の命取りになった。

仇となった日本人気質
Samurai Spirit Backfired

4月18日、シロー氏から呼び出された。不吉な予感がした。福岡AC、そして2月2日のデュームリンクの通訳でも問題があり、通訳者として私には素質があるのか、と問われているとのこと。さらに、日米知事会議から、私に対する痛烈な批判文が寄せられたとのこと。

私のやっていることがすべて裏目に出ている。ずっと過去の通訳ミスをほじくり出されて、通訳者としては失格というレッテルを必死に貼り付けようとする。また国務省への直訴状として、東京のアメリカ大使館内でのコミュニケーションは改善の余地がある、通訳者は機械ではない、等の苦情をにじませた長文の手紙を出したことが上司にキャッチされ、頭越しに直訴した危険人物と見なされてしまった。

私に対してsurreptitious（こそこそと卑怯に）という形容詞が使われていたことを、裏の情報で知って背筋が寒くなった。

表向きは孤立していても私の支持者は少なからず（訳はmanyでいいか。いや、someが正しい訳だろう）潜んでいた。それにしてもこの私がsurreptitious（こそこそ）か。アメリカ大使館に恩義を感じ、尽くしてきたこのオレが。急に笑いたくなった。この大使館は狂っている。

4月21日、東京アメリカン・センター（TAC）の事務員K氏が自殺した。使い捨ての電池のような扱われ方に耐えられなかったのだろう。

シロー宅で思い切って質問をした。

「たとえば私のように試用期間中の人間が、西山千の後釜が務まらないという理由で、馘ということが考えられますよね。もし、そういう可能性を問われたら、私にはムリですと答えるよりほかはありませんね。私の実力をご存知なんですから。正直におっしゃってください」

シロー氏は急に英語に変えられる。

I wish I had the answer. I don't know. I feel sorry for you.

逃げられた。不気味な人物だ。シロー氏は私と1対1になると変態する。「松本さん、この通訳の仕事は厳しく、誰にも務まりません。しかし信じてください。私は松本さんが信じてもいい、唯一の友人かもしれません」I'm not your best friend. But I'm your only friend. と言いたいのか。

センと私は好ましからざる存在（persona non grata）になった。シロー氏は、私に追い討ちをかける。

「もう一度たずねますが、あなたは西山千に代わって、通訳をやってみる気がありますか」

「西山さんは通訳の神様です。真似なんかできません」そう答えた。後日、シロー氏からこのように報告された。

「冨永さんは、代わりが務まります、と答えました。私は、そのまま上司に報告しました。ミスター・トミナガは、できる（can）と言いました。ミスター・マツモトは、自信がない（can't）と答えたと、そのまま英語で報告しました」

この言葉がのちに決定打となり、私が去り、冨永氏がセンの後釜になることとなった。

就業後、半年も経っていないのに、人間の絆が分断されていく。仲間であった冨永氏が勝ち組に、私が負け組となった。このまま人間不信ゲームを続けていくことになんて耐えられない。

師である西山千と弟子である私は、通訳者という席をめぐって、ともにgladiators（闘士）として、コロシアムのなかで殺し合い続けなくてはならないというのか。

そんな冷たい世界で、さんづけで呼び合うヨコの関係が、民主的で平等（fair）だというのか。センに言ったことがある。「先生、僕を〈さん〉じゃなく、〈くん〉と呼んでください、と。一度だけ、「くん」と呼んでくださったが、再び「さん」と突き離された。情はあくまでオフ・リミットの世界だ。年下の冨永氏を、冨永君と、くん付けすれば、こんなにいがみ合うこともなかったのではないだろうか。

私が彼と初めて会ったときは、『道』誌をすべて読み、感銘しましたと、私を兄貴のように見て近づいてくれた。だから少し年上の先輩面して、「宮本武蔵の本でも読んだら、通訳の力がもっとつくよ」と、友情ある説得もしたものだ。しかし、「さん」付けが、平等の闘いを正当化したのか、大使館内のポリティカル・ゲームのルールによれば、私は和を乱す男で、ルールを守り、和を守り続けた冨永氏が、勝者となって残った。

ここはアメリカだ。AかBか、勝か敗か、goodかbadか、残るか、捨てられるか、という二者択一の世界なのだ。

第4章　同時通訳者の光と影

日本一の同時通訳者は誰か
Who Is the Best Simul-interpreter in Japan?

「日本一」の定義が難しい。しかし、大衆は気にする。同時通訳の草分け的な存在としては、相馬《そうま》雪香《ゆきか》（難民を助ける会設立者。同時通訳者・原不二子《はらふじこ》の母）とセンが挙げられる。

しかし、そのセンにとってもっとも恐ろしい相手は、間違いなくサイマルの村松増美《むらまつますみ》氏だろう。同じくサイマルの小松達也《こまつたつや》氏は、兄貴分である村松増美氏を日本一だと評価する。いまも同時通訳は、市井の英語学校以外に一流大学でも人気コースになりつつあると聞く。両者の違いを知っておくことは、決してマイナスではないと思う。

まず、村松氏の同時通訳論から始めよう。

同時通訳は、正確さが肝心だ。内容を把握したうえで、言葉の置き換えに忠実にならなくてはならない。村松氏の通訳は言葉と概念が物理学的に結合されており、日本語を耳にした聴衆は、その機関銃のような通訳速度（スピード）と正確さに圧倒される。格調の高さ（とくに漢語調）で優《まさ》る國弘正雄《くにひろまさお》氏も同じ流派だ。

小松達也氏と日米会話学院元学院長の大井孝《おおいたかし》氏は、無駄なところは捨ててロジックを通す。村松氏とセンの「間」にあるようだ。

村松氏の同時通訳にかける情熱はすさまじい。しかしご本人は、「僕は、食うために英語をやったまでです」と淡々と語られる。

松本さんのように英語「道」を追求するという考えはまったくありません、と。怖い相手だ。「術」に徹する人は、すでに「道」に肉迫しているからだ。

村松氏はブースに入る相手は、アメリカ大使館では西山さんだけでそれ以外の人とは組まない、というプライドの持ち主だ。音読派でスピーチタイプの人間であり、速読やディベートは好まない。話や講釈が好きで、質問されることを好まない（しかし派手なパフォーマンスを好まない小松氏は速読・ディベート派であった）。

村松氏は、早稲田大学の夜学を経て独学で英語を学ばれた。昼は進駐軍のためのタイピストの仕事をし、やがて上司に直訴して通訳させてもらっていたそうだ。やがて、日本生産性本部の同時通訳者募集第1期生として合格された（合格者は5人だけだった）。まさに鬼才。ワシントンを拠点として6年間、アメリカ全土を巡る華々しい人生への転換を迎えられた。

斬れる英語とは、日本の教科書（受験）英語の対岸にあり、採点が困難な実用英語のことで、最近では動脈英語と呼ぶことにしている。これに必要なのが英語プラス情報だと定義すると、村松氏の日本語の情報（知識）はコンピューター並みで、誰しもが舌を巻くほどだ。経済学の知識にしても、経済学者もどきだ。

そして日本語が美しい。アーとかエーがなく、訳された日本語がそのまま活字になるのだ。

財界のファンも多い。ただ負けん気が強すぎるのか、対抗意識を露骨に出されることもあるのが気懸かりだ。「西山さんは、アメリカ人の僕《しもべ》。だが、我々サイマルは、アメリカ以外のどの国の人をも相手にします。西山さんの目線は、常にアメリカ側でしょう。僕は、日本人とアメリカ人の真ん中に視線を置きます。それがフェアというものでしょう」

うーんうーんと唸《うな》ってしまう。たしかに、正鵠《せいこく》を射ている。

では、センの分析に移ろう。

センは、言葉というよりシンボル、そして話の内容そのものに気を配られる。

村松派が、和英・英和辞書的なのに比べ、英英辞典的なのだ。あくまで、言葉のウラを（意味論的に）重視され、言葉のほかにゼスチャーや目つきやしぐさなど、トータル・コミュニケーションとしての通訳を目指しておられる。だから、英語と日本語が化学的に結合しているように思える。

村松派の通訳は、両言語が水と油のように、混ざらずに隣り合っているが、センのそれは、両言語が水における水素と酸素のように融合しあっている。

日本人の耳には、村松氏や國弘氏の通訳のほうが親しみやすいだろう。しかし、センの言葉は楽譜の流れそのもので、まるで音楽である。こちらはネイティヴ受けする。しかし、句動詞（phrasal verbs）の多い大和《やまと》語調の西山英語は不可解（正確かどうかわからない）で、正確度の測定に困る人もいる。とくに、日本人のエリート達を当惑させる。

ただうっとりと音楽を聴いていられるようで魅惑的ではある。ビジネスマン受けはしていないかもしれない。しかし「間」を格別に意識されている。「流れ」を重視されるセンは、通訳する前に、必ずワンセンテンスぐらいは待つ。

センの信条"You must understand first.（まず理解してからでないと、訳すな）"というのが、サイマル派と根本的に違う。理解とは話者の情感をも含むものだ。ベテランのプロ通訳者の原不二子氏も、相馬雪香氏（センとのコンビは有名）の教えを受けられたのか、英語に情感を込められる。ときには涙する（私もその経験がある）。テレビで耳にする、機械的な同時通訳に疲れを感じる人は多い。

さて、私の軍配ではあるが、当時の日記にはこう記している。
「べつに師匠だからというわけではないが、同時性を重んじる村松流に敬意を表するも、話し手よりも聴き手によりウェイトを置かれるセンに軍配を上げたい。世間の票を集めるとすれば、日英はセン、英日は村松ということになろうか。両者は5分5分で東西両横綱というところ。」

村松氏と話をしていると、センがホットで、村松氏がクールのように思える。

村松氏は、あの山中湖でのセンの失態を目撃している。「僕は西山さんの隣にいましたよ。ええ、十分、聞こえていましたよ」とクールに答えておられる。機械設備担当の内藤さんも「村松さんの言う通り、ちゃんと聞こえていましたよ。機械設備に不備があれば、私は馘《くび》になってもかまいません。あのときの録音を聞いてくださいよ。スピーカーのボックス（マイク付き）が悪いからと言って、2回も取り替えさせるなんて、あまりにもひどい」

内藤技師の悲痛な叫びにもっとも心を痛めたのが、私の同僚の冨永《とみなが》氏だった。センの眼を見なかったのも、内藤さんを守る判官びいきのゼスチャーだったのかもしれない。

シロー氏も言う。「センは神経質だ。いつもヒステリックになるんですよ。松本さんも彼の横にいたら、内臓をやられますよ。ときには爆発しなさいよ」と。センに反抗せよと。

黒子に徹した同時通訳者・村松増美

Masumi Muramatsu: Undisputed Unsung Hero

もう少し村松氏の話をしよう。

村松増美氏は、仲間からイニシャルでMM（エムエム）と呼ばれていた。センが「通訳」ではなく「通訳者」と呼ばれることにこだわったのに対し、村松氏は通訳者？　通訳だけでいいじゃないか、というスタンスであった。写真を撮られても、通訳の名前は隠されたままだ。目立ってはいけない透明人間。それでいいじゃないか。オーイ、通訳（ツーヤク）と呼ばれ、存在が意識されない――されてはいけない。通訳された内容は何でしたかと記者に尋ねられても、「覚えていません」としか答えようがない。たとえ覚えていても、口にはしないというプロ通訳者間の暗黙のルールがある。それは「法」ではなく、「掟」である。

通訳者は忍者なのだ。武士は名（誉）を気にするが、忍者はその名が邪魔になる。センがもっとも畏れた村松増美という存在は、裏に徹した忍者のような業人《わざびと》であった。忍者の任務とは、敵に接近することだ。しかし、姿を認識されてはならない。ＭＭは、「西山さんはアメリカ大使館の職員。我々はアメリカ人であっても、日本人であってもならない。その中間の「間」に徹しなければならないというのが大前提なのだ。あなたの師匠の西山さんはアメリカの威光を背負っているから目線がそちらになる。私は、通訳するときも日本人と外国人の「間」になって、視線を中央に落としながら通訳します」と私を諭す。

世界はアメリカだけではないことはたしかだ。「アメリカのＴＩＭＥだけを読んでいては世界が、とくにヨーロッパは見えませんよ、松本さん」と当時ＮＨＫのキャスターであった磯村尚徳《いそむらひさのり》氏は私を諭されたことがある。ＭＭも私に同じことを言うだろう。

笑いを愛した名人
The Maestro Who Loved Comic Relief

むかし私は、「山口県岩国の錦帯橋《きんたいきょう》にはガイジンがぎょうさんおるで」という周囲の噂を信じて、単身で乗り込んだことがある。海外経験のない私にとり、教室から離れて、ネイティブ英語に接する――しかもタダで――場所は、米軍基地しかなかった。武者修行は英語による試し斬りだ。当時は、アメリカ英語しか「英語」ではなかった。

屋台が並んでいた。金魚すくい屋さんかな、いや、のぞき込むと鰻《うなぎ》だった。その鰻釣り場に、4、5人の米兵が集まっていた。汚いスラングが耳に入る。**Damn it.**（コンチクショウ）しか聴きとれない。数人の米兵がしゃべっている早口（ナチュラル）の英語がまったくわからない。

ところが、そこの中年の禿げ頭のおやじは、英語を100パーセント聴きとっていた。テキパキと英語で返し、きちんと代金を受け取っている。う〜ん、学校で学んだ私の英語では歯が立たない。完敗。その場にしゃがんで泣きたくなった。

このときは、海外へ行かず、同じ大学の帰国子女たちにも負けないという自信が吹っ飛んだ。

なぜこんなエピソードを出したのか。

2019年の正月、MMを陰で支えていたひとり、大塚俊樹君が、愛知県春日井市藤山台に里帰りし、その近くの私宅を訪ねてくれた。ひとりぼっちのこの家で、まさにこの原稿を書こうと思っていたところだったから、MMのことを知りたいと思い、知多《ちた》半島にある、孝明天皇を祀る玉鉾《たまほこ》神社へドライブに行かないかと、逆に誘ってしまった。

1時間以上のドライブ中に耳から得た情報はきわめて貴重であり、MMの風姿をよりよく知るきっかけとなった。

ＭＭはオーストラリア英語を真似して、笑いをとることが趣味だったらしい。大塚氏にいわせると、あるオーストラリアの知人から「ＭＭはオーストラリア人よりオーストラリア英語が上手」と、絶賛されたそうだ。

同期で同じくアメリカ嫌いの國弘正雄氏が学者上がりのトップクラスの同時通訳者だとすれば、ＭＭは浅草で学んだ落語を同時通訳という話芸に活かされた稀有のアーティストだといえよう。

たしかに人情味のあるＭＭは〝勧進帳（ハラ芸）通訳〟により、気まずい沈黙をとっさの機転で埋め、聴衆や技術担当者に恥をかかせないための芝居を打たれたことがある。面《めん》子《つ》を守るには、自己犠牲の精神が必要だということがＭＭの職業倫理のひとつであった。

そして「間」の研究に余念のなかったＭＭは、「笑い」の研究のために桂枝雀《かつらしじゃく》を師匠とし、一途《いちず》に「笑い」の世界に没入された。ＭＭは、まさに関西芸人にも通じる「粋」（スイ）を求められていた芸人であったのだ。

名門ホテルコンシェルジュの角田《すみだ》陽子《ようこ》氏が「ＭＭは、その点人間臭さがあるのです。松本さんと違って、いつも女性ファンに囲まれていました」と語ったことがある。ＭＭは日本笑い学会の理事も務めた。

ふと、あの岩国の鰻釣り屋の禿げ親父のことを思い出した。米兵の猛スピードの英語をとっさに返して、まるで奇術師のように、金銭取引をキテパキすませる早業。

どうしても、ＭＭと、あの鰻釣り屋の親父と重なってくるのだ。

外資を数社、渡ってきた国際派の大塚氏は、学生時代からＭＭにあこがれ、上京後ＭＭに直参して世話係をされていたから、ＭＭを知り尽しておられる身である。「ＭＭはいまから考えてみると、苦労人であって本当に情に篤《あつ》い方でした」としみじみ語られていた。

オーストラリアから帰国した直後のＭＭは、名古屋の金城学院大学で講演中に倒れ、意識不明となり救急病院に搬送された。緊急入院し、その後名古屋市内の病院に転院され、車椅子の人となった。亡くなるまでの７年間、言語能力が不自由のままだった。しかし体調のいいときは、英語の話しかけには、立派な英語で応えられたこともあったと聞く。

サイマルの事務所からＭＭの私物をご自宅に運ばれたふたりの方のひとり、角田陽子氏とも再会した。晩年、ＭＭはまさに孤独の人であったことが再確認できた。ＭＭが最後に面会謝絶となった話を耳にして、國弘正雄氏は、私の前で涙ぐんでおられた。戦友を失ったような気持ちであったのだろう。

呪いにもなる名（迷）通訳

Is Creative Interpreting a Curse?

ＭＭは２０１３年３月に亡くなった。氏の弔《とむら》いのために、どうしてもここで触れておきたいことがある。

かつて『ワシントン・ポスト』紙会長キャサリン・グラハム宅で行われた朝食会での、中曽根《なかそね》康弘《やすひろ》元総理大臣の「日本列島を大きな航空母艦として」という発言を、『ワシントン・ポスト』が、ＭＭが通訳した英語を引用して載せた（１９８３年１月）。

その訳は unsinkable aircraft carrier と通訳された。それが逆に直訳されて「不沈空母」が活字となったから、一悶着《ひともんちゃく》が生じた。

別の会見で、日本人記者からの「不沈空母とおっしゃったそうですが」という問いに対し、中曽根元首相は、「そんなことは言っていない」と否定した。日本一の通訳者と謳われたＭＭは、面目を失った。

「忍者のミスだ」と、雇い主のサムライが公言すれば、その発言の意図は素通りして、忍者は闇に葬られてしまう。ＭＭも、通訳者の職業倫理（professional ethics）として、クライアントに絶対服従する、と無念をハラに収めたまま、帰らぬ人となった。

通訳者たちは「中曽根の裏切り」ととり憤怒《ふんど》したが、裏の声は表には響かなかった。その無念の思いは大塚氏の骨髄にまで響いたはずである。

中曽根自叙伝が出版されたころ、大塚氏はＭＭがこう言うのを聞いたそうだ。

「島が〝大きな航空母艦〟とたとえられたら、unsinkable aircraft carrier と訳すのは定訳であって、意訳ではない」ＭＭの言葉にたじろぎはなかった。

『朝日新聞』の社説で、「あの正確さで知られていた、村松増美の通訳が間違っていたとは思えない」との箇所を読んだＭＭは、安堵の溜息をつかれ、「これが裏方の人間にとって、唯一の勲章だな」と、大塚氏に誇らしげに笑っていたという。苦みのある笑いだ。

村松増美の名誉のためにいうが、unsinkable（不沈）は決して意訳ではない。通訳的にみて名訳なのだ。

unsinkable aircraft carrier は、外国の知識人なら、慣用語として使っている。この言葉が、unsinkable でおかしいではないか、と目くじらを立てることは、まずない。中曽根発言はきわめて無礼である。

ＭＭが世間（たぶん家族も）の批判を受けて雲隠れした（スキーをしていたらしいが）気持ちはよーくわかる。

このメディアを騒がせた不沈空母事件が、ＭＭにストレスを与え、結果命を縮めたとしても不思議ではないだろう。

英語の達人には翳《かげ》りがある

Masters of English Language Deserve Better

英語の達人には、どこか翳《かげ》り（history）がある。

ＮＨＫラジオの松本亭博士《まつもとおる》も三難をおもちであった。

1．英語が大好きであった。日本が大好きであった。

2．女房は英語がきらいだが、アメリカが大好きであった。

3．キリスト教の宣教師としての格式が活かされず、母校の明治学院大学から疎まれた。

ＮＨＫラジオで全国的に知られた、英語の達人は孤独だった。「英語で考えよ」と全国の英語学習者らに訴えながら、日本社会の同調圧力（peer pressure）のいじめにあっておられた。

森鷗外《もりおうがい》も、芥川龍之介《あくたがわりゅうのすけ》も、夏目漱石《なつめそうせき》や明治学院で英語を学んだ島崎藤村《しまざきとうそん》も、むかしから英語の達人は、ほぼ例外なく孤独な晩年を送った。

英語そのものが、人を狂わせ、孤独に追いやるように、同時通訳という妖技に魅せられた人も、末路の悲哀は約束されているかのようである。

トカゲの尻尾切り
Sacrificial Lambs

「トカゲの尻尾切り」は、**a blame game** のことだ。誰かを先に殺さなければ自分が殺されるから、周囲をすべて敵とせよという発想だ。その貧乏くじを引かされる者は、**a fall guy** と呼ばれる。**guy** は女であってもいい。

伊藤智子（仮名）もそのひとりだった。アメリカ大使館で、たったひとりのアメリカ人のスタッフから通訳がダメと烙印を押され、一瞬にして解雇された彼女は捨て駒（**a pawn**）にすぎない。

センというゴールド・スタンダードを標準として、通訳者の力量が評価されるのだから、センの後釜はほぼ永久に生まれなくなる。

彼女もトカゲの尻尾にされたひとりだ。尻尾切りをしたスタッフ側は「すぐに辞めてもらった」と勝ち誇ったような表情で語るが、切り捨てられた尻尾はたまったものではない。私はアメリカ大使館に入館した直後にその話を聞いたので、勝ち組を意識して可哀相《かわいそう》に、と上からの目線で見てしまっていたのか、次はオレかという恐怖感とは無縁だった。同僚の冨永氏は常にそのことが脳裏にあるという。私は脳天気（naive）すぎたのだ。

ふと思い立って、伊藤智子氏に私の『入門英語道場』を献本し、お返しに通訳者の心構えを教えてもらえないかと頼んだ。こんな回答だった。

1．同時通訳の世界は食うか、食われるかという修羅《しゅら》の世界よ。私は何度も突き落とされて、地獄から這い上がってきた人間で、この世界の醜さは知っているつもりです。しかし、関西のような甘いところから来られた松本さんは、人一倍苦労されるでしょうね。

2．ブースに入ると、隣の人は、すべて敵。勝つか負けるかのいずれかしかない（このとき私は無意識にうなずいていた。斎藤美津子《さいとうみつこ》氏〈国際基督教大学名誉教授〉がブース内でのコミュニケーションの大切さをあれほど、熱心に強調されたその本当の理由がわかったような気がした。たしかにマイクの奪い合いは醜い。メモのなかには非協力的なものも多い。この「多い」は some のこと）。

3．プロ同士の足の引っ張り合いは避けられない。プロフェッショナル・ジェラシーは、この世界では熾烈になります（忍者の世界と共通するところがある）。この世界では、必ず裏で悪口を言われるので、悪口の先制攻撃をかけるに限る。この通訳のプロの世界に身を沈めた人はすべて、人間が醜くなります。

4．アメリカ大使館は陰惨というイメージが伝わっている。英語さえできれば出世できるところ――たとえ創造性にかけていても。ただし、あなたのプログラム・サービスはいちばん陽の当たらない部署です。通訳の地位はいちばん低いので、ほかの部署へ移られることをお勧めします。

5．西山さんは日本中であこがれの的となっていますが、業界での人間的評価は低い（だれが、センをそんな男に変えてしまったのか）。

6．最後に松本さんに申し上げます。男としての道を見つけ、早く通訳に見切りをつけることを、勧めます。ここでは心がすさみます。

自嘲的とはいえ、どこか思い当たる節はある。しょせん、通訳者は単なる機械、通弁でしかないのか。機械は嫉妬することも、発狂することすら、許されない。

第5章　崖っぷち

35歳までのロードマップ
"I shall make it by thirty-five, sensei"

7月頃、引っ越し（近所とのモメごとが増える）と借金で首が回らなくなってきた。金策は失敗続きで、やっと支払っている住宅ローン。借金の人生が続く。しかし人生のドン底であっても、夢は失わなかった。「35歳で日本一の通訳者になります」と書面でセンに約束した。日本一の通訳者になって、センへの恩返しがしたかった。そしてセンになりきろうとしたのも、自分自身に押しつけたコミットメントだ。

割に合わぬ仕事であることは十分にわかっている。周囲の私に対する批判的なコメントはすべて正しい。しかし、センから逃げることは武士ではない。ましてや裏切るなど。札幌アメリカン・センター（札幌ＡＣ）の館長（アメリカ人）から「君の英語はセンに似ている」と2回も言われたのだ。たぶん呼吸法も似てきたのだろう。

7月10日に、疑心暗鬼の目で私を見ている上司のシローに告白した。

「今日言われたように、私の同時通訳の力は見劣りしますが、もう少し長い目で見てください。35歳で日本一になってみせます。私は知力で劣り、記憶力も悪いほうですが、気迫だけは負けないつもりです」と。

気迫、これはセンから引き継いだ、マントラ（真言）であった。

ついに言ってしまった。腹を割ってしまった。……しかし、いま思うと、私は大きいミスをしていた。「長い目で見てください」は、どう考えても「甘え」（a false sense of security）だ。そんな考えは、アメリカ人にはない。ここのアメリカ人上司たちはみな、明日がない人たちばかりなのだ。自分の任期も、すべて短期間。シロー氏の馘《くび》もいつ飛ぶかもわからない。「長い目」の意味がわからないのが、平均的なアメリカ人なのだ。

シロー氏をはじめ、誰にも見せなかった、私の日記にこっそり記した私の戦略がここにある。理と気に分けられている。

〔理〕
日本語力強化——標準語を身につけ、どもりがちな私の言語障壁をなくす。大阪弁は、関西にいるときだけにして、東京人との会話の場を増やし、アクセントを徹底矯正する。アナウンサーの日本語を意識する。
1．英語力強化——ＦＥＮ（米軍極東放送網）は引き続き聴く。FEN Presentsは、従来通り、風呂のなかでも聴き続ける。リスニングの強化、速読により、英語の語感を増やす。アウトプット戦略としては、東京での講演の場を増やす。速読、速聴から米人のA or B思考、そして、そこから「giveとget」という方程式を編み出す。

2．情報力強化――TIME、Newsweek以外に、ＵＳニュース・ワールド・レポートを加え、インプットに狂う。政治経済は徹底的にやり、プロに近づく。永田清《ながたきよし》氏（イリノイ大学で博士号を取得、大阪の英語道場時代の私の参謀）とふたりで、International Business Clubに参会する。六本木にあるＥＷＤ（East West Discussion）グループも、情報収集の場となる。

3．同通スキル強化――日英・英日とも、日頃から同通感覚を失わず、頭をフル回転させる。いわゆる同通思考力（常に他言語に置き換えることができる力）を失わないことだ。

［気］

精神衛生に配慮――外部へのコミットメントは削減し、付き合いもほどほどにする冨永《とみなが》氏を見習い、かといって全面的撤退をするわけではない。大使館のスタッフのひとりで、アメリカ人が恐れる猛女、後藤優美氏からもハッパ（moral support）をかけられる。このような裏の人脈を大切にする。山内女史の励まし（moral support）にも支えられた。
肉体的健康への配慮――飲酒は減らし、夕食は早目に。朝食を欠かさず、〝胃〟の健康に留意する。
※そのほか、環境面の整備を充実させる。
結婚後、6、7回も引っ越しを繰り返し、家庭は財政的にも常に崩壊寸前。読書時間を増やすために乗車時間を増やす。上尾（埼玉県）へ引っ越し。
日記のイラストは、いつも上向きカーブで描く。

同時通訳を30歳から本格的に始め、32歳で同通戦争を繰り返し、35歳で頂上に登りつめ、その時点で身の振り方を考える、といったロード・マップだ。

ジェットコースターのような日々
Everyday Is Running――Gunning Down on a Fast Lane

大使館の通訳の仕事の性質は「風」。風のようにコロコロ変わるのだ。この頃、センは馘になるという噂が流れており、通訳の仕事は冨永氏と私のふたりに譲り始めた。しかし大物通訳のときにはふらっと帰って来る。通訳のワークショップも続けている。センは同時通訳の仕事を趣味のテニスと同じようにとらえていた。そのように私には思えた。シロー氏に35歳で日本一の同時通訳になりますと公言したところで、反応はない。シロー氏もセンもケロッとしている。そのときの人の発言など、翌日には変わるものだ、と達観されているのだろう。人の評価がコロコロ変わるのも世の常だ。

私は35歳ナンバーワン宣言をしたあとも、8月8日にはコテンパンに叱られている。7月10日に気迫でやると約束したのに、1ヵ月も経たないうちにまたフリダシに戻された。日記には、本当に私には通訳者として素質があるのか、「長い目」は通用しないようだ、と書いている。落ち込んだままだ。

しかし、インガソル米大使の通訳（8月9日）や、グーテンタークク美術プログラムでは成功し、おほめにあずかった。8月14日の東京アメリカン・センター（TAC）での、ロバート・スクウーリー博士の逐次《ちくじ》通訳は、完璧の出来と評価、まさに名誉挽回を果たした。一喜一憂の毎日。それにしても、この生活のリズムは何だろう。まるで、ジェットコースター人生だ。いや、毎日が、高速レーンで走り続ける小型車だった。

この私の奮闘ぶりは、地獄耳のサイマル王国にも、確実に伝わっていた。サイマルの力を借りずに次々と、パッケージ・プログラムをこなしていくUSIS（アメリカ大使館広報文化局）の動きは、多少の恐怖感を与えたようだ。私がアメリカ大使館に入館して約9ヵ月、ついにサイマルの高圧的な態度が軟化し始めた。

8月28日、シロー氏が私に漏らす。「いま、あなたが大使館を辞めても、サイマルが引っぱりに来るでしょう。この間、小松さん（小松《こまつ》達也《たつや》氏）が来て、『松本さんはうまくなりましたか』と言っていました。まだダメですが、うまくなっています、と言うと、小松さんは『3年間は訓練を積む必要がありますね』と言っていましたよ」と。

サイマルでは、サイマルの協力がなければ、ＵＳＩＳはパッケージというビッグ・プロジェクトなどできっこないさ、という思い上がりも崩れ始めたようだ。

西山語録③：プロは言い訳をしない

Quotations from Sen: No Excuses for Professionals

9月19日、センが久しぶりに戻ってきた。秋のパッケージ・プログラムが始まるので、扱いづらいが、天才通訳者のセンを引退させるわけにはいかないというのが上層部の思惑なのだ。うれしい、また西山語録が再開できる。

センが最初に述べたプロ論は傾聴に値する。

1. 通訳は戦争。たとえ間違っても、I'm sorry. は禁句。戦場で白旗が上がれば負け犬。**A dead soldier.** 言葉を取り消すことができないので、慎重に言葉を選ぶべきだ。「そんな意味で言ったのではありません」という、言い訳は絶対にタブーだ。なるほど、日本人は聞き手に責任を転嫁するくせがあるが、最初から誤解されないように、発言に気をつけるべきだ（これは私のディベート論と一脈相通じるところがある）。

2. 通訳は準備が肝心。ルシアン・パイ氏の同通も、私は氏の原稿をテープに吹き込み、そのスピードに合わせて、同通の練習をしていました（いつの間にか自主トレーニングをされていた。この日、初めて知って驚いた。当日まで姿を見せないセンも、こっそりと忍者のように臨戦態勢をとっておられたのだ。日々是決戦）。

3. ＵＳＩＳ内でも、通訳と翻訳の間には深いミゾがある（通訳上がりのセンは、**identity** を「所属」と訳される。翻訳者は、「主体」と訳されるだろうか、と。センは翻訳者を意識されている。通訳担当者のことを「通訳」と呼ぶことについて、なぜ通訳「者」といわないのか、という潜在的な憤りがときどき噴出する）。

4. 通訳者は原則として注釈は加えない。説明義務はない。とくに講演慣れしている人は、自己流の解釈を加えたがるものだ（私にもそういうところがあるから耳が痛い。

That hurts.)。

5．legitimated informationは翻訳調では、「正当な」となるが、西山流通訳では「充分裏付けのある」となる（私が西山流派を引き継ぎたかったのは、この言葉のウラの情報——意味論的とでもいおうか——を重視するからだ。well-leveragedを〈自己資本と比べて〉借入金がある、とは訳さずに、〈かなり借入金があるから〉そう簡単にはつぶれない、とスレスレの訳を施すかもしれない）。

要するに、聴き手に（意味論的に）正確な情報が伝わるかどうかが肝要なのだ。

6．マイヤー大使が、I felt a strange odor at Sapporo...It was a fresh air... と話されたのを、センは「変な臭い」と訳した。悪臭と訳されなかったので助かった。絵になっている。

センとの対話は続けて翌日（9月20日）にもメモされている。

7．以前エドウィン・ライシャワー大使に、記者から意地悪な質問がされた。「ベトナム戦争に関し、学者じゃなく、大使として疑問をお感じになったことがありませんか」それに対して大使がDo you call me a liar?（私をウソツキと呼ぶのか）と激怒されたエピソードに関し、センはライシャワー大使を弁護される。その人の所属が何であれ、人格の一貫性（integrity）を大切にされていましたから、「大使としては」という問いかけは、失礼になるのです（ところが、國弘正雄《くにひろまさお》氏は、正反対の意見をおもちだった。「あんなことで立腹するんじゃ、まさに植民地シンドロームだ」と。**integrity**のシンボルは、一般的日本人には不透明のままだ）。

8．このとき大使は、一瞬カーッとなられたらしいが、その直後に、間《ま》をとって**if**を使った回答は滑らかだった。

If I had been a professor of Harvard Univ., I might've opposed Nixon's policy.（もし私がハーバード大の教授であったなら、反対していたかもしれません。）

たやすく知的武装されている。英語で考えるとは、イエスはイエス、ノーはノー。現実と仮想は別々と、是々非々で筋を通すことなのだ。そして、知らないことを知らないと、包み隠さずに述べることだ。

ふと、センと出会った20代後半のことを思い起こした。

大勢の席上で私は、「いま、『通訳は気迫だ』とおっしゃいましたが、気迫は英語でどう言うのでしょう」と講演中のセンに奇襲攻撃をかけたことがあった。30代に近づいた、生意気盛りの私は、たしかにマナーを欠いていた。そのときの氏の即答が「知りません」であった。

無知をあっさり認められた。そのあとも少し間をとって、「もし状況が……であったら、こう英訳したでしょう」と、解釈が始まった。その英語が、まさにネイティヴ英語、NHKのラジオやテレビで耳にしない、本物のリズム英語だった。そのスピードには、誰もついていけなかった。会場全体がまるで宇宙人を眺めているようだった。

いま、私の1972年の日記を読み返してみると、センはライシャワー大使の思考から相当な影響を受けておられたはずだ。

9. 松本さんが『道』の中で述べられているように、英語という学問は気迫に尽きますね。私は20年間通訳を中心にやってきましたが、あまりにも準備に追われて、ほかの仕事をする余裕はありませんでした。いまごろになって、本を書き始めましたがね（センの真摯《しんし》な態度には頭が下がる。私は浮気っぽく、いろいろな仕事に手を染めて、同時通訳という本業に専念することができず、反省の毎日だ。本を書く暇があれば、もっとインプットに励むべきだ）。

鬼軍曹、ふたたび

Tough Sarge Dies Hard

センがワークショップに戻ってきた。いきなり8月9日のインガソル大使の英日通訳がひどいと叱られた。英日専門の冨永氏の訳に問題がないということで、彼は自分の席へ戻され、私だけがひとり残された。

中学2年のとき、放課後、英語担当の香川先生にクラスで最下位のふたりだけ残され、補講を受けたことがある。その屈辱的な思い出が甦ってきた。

この日の個人レッスンはかなりきつかった。3時にコーヒーを飲みにスナックに入った。丁寧な言葉遣いでありながら、かなり厳しいコメントをされた。思い出すままに日記に書きとめた。

1．日本語は音節が120から140しかなく、どうしてもひとつのアイディアを説明する場合に言葉が多くなる。だから、アーとかエーとか、余計な言葉をはさんではならない。

2．通訳はよく聴くことから始まる。自分の気持ちではなく、話し手の意見が理解できなければ通訳はできない。リスニングから始まる。日本語の表現は自然と口から出るようにしておく。日本人にとって自然な日本語を求め、英日に強くなるべきだ。

3．同通の訓練はFENを英日するなど、日頃からできる。30分やればクタクタになるが、それも「修行」と考えよう。集中力だ。2カ国語がペラペラだという理由で、日系米人が同時通訳できるというほど甘いものではない。

4．仕事以外のことからは一切手を引くこと。いまは、同時通訳の技術を徹底的に磨くことです。私はもう60を超えているが、松本さんはまだ若いから徹底的にやれる。

「ほかのことから手を引け」という師のゲキはこたえた。あの形相のすごかったこと。当用日記（9月26日）に怒るセンのイラストを描いた。

くやしくて、眠れなかった。この数日前の日記を読んだ。9月25日付（1日前）に『ジャパン・タイムズ』に抗議文を出していた。後藤優美女史からの「これはあなたの仕事です。日本を弁護する抗議文を書いてください」との依頼を断れなかったのだ。9月9日の『サンケイ新聞』の記事「小島監督訴えられる。日本女子バレーは奴隷――西独の婦人に」を分析し、熱意を込め英文レターを書いた。

陰徳を尽くしたはずだが、本業を疎《おろそ》かにした事実は否めず、センの叱責にもぐっと耐えた。日本人の意地を貫いてほしいと難題を持ち込んだ後藤女史を、どうして責められようか。忍の一字で耐えるしかない。

師のセンがここまで怒りを顕《あら》わにして、弟子の私を叱ってくれるとは本当の愛情に違いない。いや、あれは「叱り」ではなく、理性や教育効果への考案などを遥かに超えた「怒り」そのものだった。

たしかに、私は通訳の仕事以外に、いつも私事に追われていた。引っ越し先の近所とのトラブル。度重なる引っ越しや、それに伴う出費、借金苦。生命保険。病院通い。東京弁を学ぶための鈴本寄席《よせ》通い、江戸文化になじむための人脈ネットワークの拡充、通勤時間中の情報インプット等々。後藤女史の飛び込み仕事も黙々とこなした。逃げなかった。

この苦しさから逃げる唯一の密かな愉《たの》しみ（guilty pleasure）は、浅草で東映の任侠映画を観ることだった。大使館とは、まったくの別世界――義理人情の世界がそこにある。男の涙が流せる唯一のオアシスだった。

この頃の私の体験とあわせて、「大阪の英語道場の集まりで久しぶりに英語をしゃべりました」とさりげなくセンに語った。

この発言がうかつだった。センの逆鱗《げきりん》に触れた。それが、「仕事以外のことから一切手を引きなさい」という、前述のカミナリ発言であった。

センは正しかった。冨永氏のほうが通訳のプロらしかった。仕事一筋、ＵＳＩＳの通訳一本で、まったく寄り道はしない。遊びをいましめ、きわめてストイックな独身生活を続けている。まさに模範生。私はといえば、ワル（I'm bad.）だった。ふたたび落ちこぼれている私がまた叱られたわけで、この日も猛反省した。

だが、翌日（９月27日）は、性根《しょうね》を入れ替えて、プレス・インタビューの通訳準備に専念した。

正確さとリスニングに集中したので、スムーズに訳せた。私の逐次通訳を眼前で、センにウォッチしていただいたのは初めてで緊張したが、今日はよくできていましたとほめられた。ときには、苦言よりほめ言葉のほうが、プラセボ（偽薬）効果もあり、励みになるものだ。

翌日から始まったパッケージ・プログラム（テーマは「人間と情報社会」）も、順調な滑り出しとなった。英日は冨永氏と一匹狼無所属の浅井氏のコンビで、日英は私とセンのコンビで午前（カンター教授、香山健一《こうやまけんいち》、糸川英夫《いとかわひでお》を相手）と午後（ドナルド・マイケル教授、富川公男）の２セッションを大過なくクリアした。

英日も少しは板についてきた。私が「お役に立つかもしれません」と訳したところ、センから回ってきたメモは、「ご参考になるかもしれません」であった。なるほど。

英日、日英とも無事に通過し、センも機嫌がよく、夜はいつものように勝海舟《かつかいしゅう》と西郷隆《さいごうたか》盛《もり》の「腹芸」をめぐる論議となった。センはディベートを好まれていて、これを情報収集の手法と割り切っておられていたのだろう。2日間のシンポジウムも、大物学者の話を日英に同通することで、センと私のふたりチームが中心となった。

そのときの日記に書いてある。日英同時通訳に関しては、やはりセンは日本一で、まだまだ近づけない、と。日記の見出しは、「西山先生の胸を借りる」。

10月2日の、TACでのパッケージ通訳（テーマは「明日の情報社会における教育と個人」）。その前にこてんぱんに叱られた私は、白紙状態でブースに入った。

センのいう「声の表情」を意識して、通訳をした。浅井氏、冨永氏と私の3人のコンビも呼吸があってきた。センは、私の同通を聴き、こんなコメントをされた。

1．咳払いのときはスイッチを切る。英日に変わるときには、席も変われ。モタモタせず、あくまでお客さんを意識せよ。

2．（坂本二郎《さかもとじろう》氏がマイケル博士に対し、「『各論反対、総論賛成』という考えには私は反対でして、総論反対で各論賛成ではないか」と自説を述べられたとき、日英に自信があった私もどう訳したらいいか絶句しました、と言うと）私もさっぱりわからなかった。agree in principle, but not on specifics ですかね。でもわからないな。（センには、日英で勝つことがあっても、逆に、英日で歯が立たないことがある。英日か日英か、どちらが難しいのだろうか？）

3．（私が tenure を ten years と勘違いをしたのを指摘し）あれは、保有権のことです、と訂正された（英日通訳のプロは、英語のリスニングに強くあらねばならない。まだまだ、英語のインプットが弱いと痛感する日々だ）。

とにかく、TACでの通訳は成功。パッケージは、札幌に飛んだ。一匹狼の浅井氏からプロの通訳観を伺った。師も部下ももたず、組織に属さない浅井氏には、センを師と仰ぐ私の心境がさっぱりわからないという。

サイマルの横山紘子《よこやまひろこ》氏（同時通訳者の五指に入るとされている）とパートナーとなって、一日中同時通訳のお伴をさせていただいたが、プロのすごさを見せつけられた。

その彼女も私に対して、浅井氏と同じコメントをされた。

「西山さんに恋慕のような気持ちを抱かれているのはよくわかりますが、プロの同時通訳者に要求される倫理観は、そのような師弟関係ではありません」と。

サイマルが派遣するプロ同時通訳者は、まさにプロ中のプロばかり。社交術も優れ、ブース内での快適な距離感を保つプロばかりだ。彼女のように知性あふるる通訳者がビジネス組織のなかでもモテモテで、直接取引をしたがるという。

サイマル王国といえども、引く手あまたのプロを抱え込んではスカウトが激しくなるから、防衛戦でフーフーいっている。やっとサイマル王国の翳《かげ》りが見えてきた。

日米知事会議が結んだ縁
Thanks, Governors, for the Tie That Binds

３月の日米知事会議のときに私が演じた余興的な通訳は、知事の間で話題となった。しかし、アメリカ大使館側は私の派手な振る舞いを、苦々しく思ったようだ。そのなかで、私個人に信頼と関心を寄せられた知事がいたことは、不幸中の幸いだった。ノースカロライナ州投資誘致セミナーを日本で開くことを意思決定され、私を指名されたのが、ロバート・W・スコット知事だ。

友情がふたりの間に芽生《めば》えていたのだ。私が日本のアメリカ大使館で危うい立場にいることを察し、私を弁護する方に回ってくださった。

アメリカの要人には、悪魔もいれば、天使もいる。私は指令を受けて通訳を引き受け、再び親しかった筆谷社長（通訳・翻訳の専門エージェントISSの創始者）と接近し始めた。

その様子をかぎつけたサイマルの村松増美氏が、こっそり偵察にこられていた。日本一の同時通訳者と呼ばれている村松氏が。イヤホンで通訳者の技量をチェックされていることを知って身震いした。

センと比肩《ひけん》しうる唯一のプロ通訳者である彼と話をした。村松語録として、記しておく。

1．知事のHという人の通訳を聞いたが、勉強不足で事実誤認が多く、まるでデタラメ。通訳をするなら、過去3年間の統計ぐらいは把握しておくこと。英語力というよりも情報力です（たしかに村松の頭はエンサイクロペディックだ）。

2．仕事に対する忠誠心がいちばん大切。特定の組織に属していると、アイデンティティがしがらみとなって伸びない。西山千は目線がいつもアメリカ政府に向いている。私は目線を真中に置く（何度聞いてもうなずいてしまう）。

3．同組織内から仕事を引き受けると、扱うテーマがダブってくるので進歩がなくなる。サイマルはあらゆる分野のテーマを扱っている（まるで、私へのサイマルへの誘いともとれるセールス・トークではないか。なぜ大使館内では警戒されつつある存在であるこの私に。しかも、プロ転向して、まだ1年も経っていないこんな駆け出しのセミプロに。本当に私に、サイマル王国のプロとしての素質があるのだろうか)。

セン、辞表を出す
Sen Bows Out

10月25日。相変わらずシロー氏の声には表情がない。まだ秘密ですが、センが辞表を出しました、と彼は言った。

10月26日、ＴＡＣのメディア・ルームに全員スタッフが参集した。カーター公使は相変わらずジョークを飛ばしながら、センの門出を祝っている。どんな厳しい質問でもジョークで返し、そのやりとりをセンは、いつもの笑顔で、正確に通訳されている。英語がネイティヴ。声に表情がある。そして美しいチェスト・ヴォイス(腹声)。品格のある日英、そして気負いのない英日通訳。

このアリア(独唱曲)が最後のパフォーマンス？　まさか。西山名人の風姿をいったい誰に継がせるおつもりなのだろうか。それよりも前年のパッケージ、山中湖プログラムでの失態の恥をそそぐリベンジ戦には、参加されないおつもりなのか。

センなき私は後ろ盾を失って、ますます孤立していく。いびり出されるような雰囲気だ。シロー氏は、もう少し見習い期間を伸ばしてあげたいが、大使館の人々は「待つ」のが苦手な人ばかりでして、と言う。私にも辞職を勧めているのだろうか。

——力つき魂抜けて笑うのみ——

——追い込まれ同じく孤独の母想い——

苦しまぎれの川柳を日記に書き込み、慰めている私だった。

國弘正雄氏の助言

Mr. Kunihiro Talks Me Out of Interpreter Job

うれしいことに、追いつめられた私を慰めてくれる人が外部にいた。村松増美氏のあとは、ＮＨＫテレビ中級英語番組のホスト・國弘正雄氏のお引き立てがあった。11月24日、三木事務所に國弘氏を訪ねた。

1．アメリカ大使館は、私（松本）には性に合わない。アメリカの悪い面がそのまま凝結されている。権威と権力が集まると腐敗する。西山千さんの扱いはまさに粗末すぎる。
2. しかし、松本さんが1年目で変わるというのは、早すぎるという印象を世間に与えてしまう。
3. 国際商科大学（現・東京国際大学）なら埼玉で東京に近いし、英語を教える場としてはどうかな、と思っている。鈴木大拙《すずきだいせつ》（仏教哲学者）でも英語を教えて生活の糧にしていた。
4. 週に2、３回教え、同通の仕事でアルバイト料を稼ぎ、講演なんかをすると、生活面はなんとかなる。時間ができれば、本などをお書きになったらいかがでしょうか。
5. あと1年ぐらいは、ほかの仕事をやらず、通訳に専念されるということは賛成です。しかし、通訳という仕事にはあまり熱を入れ過ぎないように。
6. 松本さんははっきり言って通訳に向いていないように思う。ほめ言葉です。言外の意味を求めるような deep thinker は向かない。言葉の入れ替えだけに関心があるような人には向いていますが。
7. 西山さんと違って、私は You call me a liar. と怒ったようなボンボン気質の、ライシャワー大使の品格は認めない。そんな人でも、通訳者は自我を殺して忠実に通訳しなければならない。通訳とは因果な商売です。まさに通訳者は裏切り者だ（The translator is a traitor.）。

國弘氏のおっしゃることはよくわかる。しかし私は35歳で日本一の同時通訳者になると公言してしまった。あくまでアメリカ大使館にとどまれば、という大前提だが、その前提条件がぐらつき始めた。アメリカ大使館は、待ってくれない。

心身の不調は職業病

The Prices Simul-interpreters Must Pay: Psychosomatic Disordes

同時通訳は、命を縮める仕事（psychologically demanding job）だといわれている。精神的にも肉体的にも、ダメージが多い。

通訳者のなかには、やはり心身にダメージを受けている人間が多い。思い立って、生命保険に入った。12倍保険というものだ。保険金など縁起が悪いと思っていたが、いまの私の職業柄、突然死しても不思議ではない。残された家族のためにと決意したのだ。

インター・オーサカ時代のパートナーのベテラン通訳、久米照元氏は、同通の1日前は必ず下痢をすると述べていたことを思い出す。たしかに、だんだん肉体的な疲れはひどくなっていく。

ある病院でレントゲン検査を受けたところ、腸が痛ましいほど捻転しているので、医師から、どんなお仕事をされているのですか、と聞かれた。

「同時通訳です」「そうですか、職業病ですね」

なんでもない会話だが、「これで激務から2、3回、胃の手術をされたセンに1歩でも近づけるのでは」とニンマリしたものだ。追い詰められると笑いたくなるものか。

私は、センから学ぶというより、師のセンという人間自身になりきろうとしていたのだ。同体化する（identify with him）？　そんな生やさしいものではない。擬態（カモフラージュ）する覚悟に近いものがあった。

職業病と闘い、笑える心境に自ら追い込むとは、そのようなものなのだ。

11月の日記に明日、明後日の通訳の準備に入る、と書いてある。黒人問題に関しては、タッカー氏の通訳の知識が役立ち、経済政治問題に関しては、日経を徹底的に読むことにした。まずはTACで下院議員の、チャールズ・ブリッグズ氏の通訳をする。マルコムX、ブラック・パンサー、NAACP（全米有色人種地位向上協議会）の研究のため速読が続く。頭が回らず倒れそうになってもこの生き地獄から這い上がるしかない。

もう大丈夫。生命保険にも入った。

朝日新聞の記者は通訳者泣かせ

Asahi Reporters Are Not Devilish, But Satanic

黒人問題の通訳が終わると、翌日は、私が一番苦手とするプレス・ブリーフィングの通訳業務が待っていた。エドモンド公使のディープ・ブリーフィング（Minister Edmund's Background Briefing）だから、大手のメディアの大物経済記者たちがぞろぞろ集まってくる。「オレたちは、大体のことは知っている。忙しい身なんだ。書けるようなホットな情報がなきゃ、無駄足を運んだことになるんだぞ」と思っている誇り高き知識人たちだ。英語はわかるが、英語は話さない。人の英語力の批判だけはできる、長老たち。やりにくい相手だ。

なかでもアメリカ大使館員がもっとも苦手とする相手は、『朝日新聞』の記者だ。この日も氏家という記者が絡んできた。あとからシロー氏に、このときの私の通訳がまずいと電話で抗議をした記者だ。ＵＳＩＳでは、問題の箇所を何度もテープで聴き直した。日記に転記した文を書き写した。

（以下メモ）————————————

朝日新聞　氏家

［質問］

せっかくお招きいただきましたので、何か、それこそbackgroundernなので、おもしろいお話を聞かしていただけると思っていましたが、大体いままで伺ったお話は常識的に我々がわかっていることでありまして、何か大使館で我々があまり知らないことでなるほど日本の新聞はときには少しセンセーショナリズムな見方もあるものだということを、もう少し我々を説得できるようなお話とか内幕のこととかありましたら是非お伺いしたいと思います。その為の会合だと思っております。

［質問］

失望しているといっているわけではないし、ニュースをくれといっているわけでもない。何か我々先程のご指摘で、要するに貿易戦争とか非常にオーバーであるというのがありました。日本の新聞がオーバーであるというのが……。じつは、そうではないのだということ、どうしてそうじゃないのかということ。べつにニュースではなくてもよい。たとえばさっき予防するためだと、何か問題が起こるのを予防するためにやるのだ、コンフロンテーションではないのだということをおっしゃられましたが、予防するためには何か危険があるので、そのための予防だと思いますので……。少し日本の新聞が騒ぎすぎるというご指摘であれば、そうではないのだ。ではどうしてそうではないのかということ、アメリカは、そんなにたいしてあわてているわけではないのだと（いうことなど）、べつにニュースでなくてもいいので、その点をひとつ……。

（以上メモ）――――――――

この日本語はなんだ、ロジックがないではないか、と、センなら怒るだろう。

後日の抗議の電話によると、「おもしろいお話」を私がnewsworthyと訳したことが気にくわなかったようだ。ご本人は、ニュース価値なんてことは言っていない、と抗議の電話をかけているのだ。要するに、この朝日新聞の記者は、あえて通訳されると困るような、当たり障りのない表現を使っているのだ。通訳者に「忖度《そんたく》」させようとしている。通訳者に責任を負わせて、自己責任を回避できる日本語。もしかして、前年のセンによる山中湖での失態の深層は、日本語のもつ不可解な構造のためだったのかもしれない。

打ち砕かれた自信
Devastated Again!

センは、弟子の私の通訳の力が未熟な間は、激怒しながらもしごいてくださった。

「これでは、後釜がいないので、僕が辞められないじゃないか」とばかりに。

しかし、「もうみなさん、おできになるんだから、僕も去るしかない」というしんみりしたトーンで語られると、私のほうでもしゅーんとしてしまう。

後ろ盾を失う私はこの先どうなるのか。くよくよしているヒマはない。この言葉を耳にした数日後も、逐次通訳が待っている。アルバート・H・イー教授（ワシントン大学の教育学の教授）と、司会のＳ氏（東京大学教育学部助教授）のふたりの通訳を、私がひとりでこなす。教育問題といっても、学生問題ならとタカをくっていたし、かなりの文献に目を通していたので、プロらしくすいすいとこなした。

しかし、いつものように心身ともども疲労は極致に達していた。関西から上京してきた心配顔の母と夜まで話し込み、また心労が重なるばかりだった。夢のなかでも、汗をかきながら通訳をしている。

私はセンの転職先を、週刊誌で知った。アメリカ大使館を去ったあとは、ソニーへ移られるのだという。

センが通訳の仕事をはずれたことで、私はまったくひとりぼっちとなっていた。アメリカ大使館での私は、この減点主義の世界で、崖っぷちに立たされた。この因果な通訳の仕事をいつまで続けるのか。

通訳の最中に訳せない単語がひとつでも出ると、アメリカン・センターのアメリカ人館長は、容赦なくミスを指摘する――まるで鬼の首を取ったようにシロー氏に報告する。それが館長の手柄になるのだから。「しまった。またあとでじくじく責められる」と考えるだけで胃が痛む。いちばん恐怖なのは、その通訳の一部始終がテープにとられ、翻訳部にチェックされることだ。この屈辱が耐えられない。通訳は、そのときそのときの、一瞬が勝負――とくに同通の場合は――だから、翻訳セクションのように、辞書とつき合わせながら、チェックできるようなぜいたくな余裕はない。

しかも、翻訳者が常に主導権を握っている。

今回のＴＡＣでの講演も、イー教授がタイプ打ちした原稿を読み上げるという。

私には原稿が与えられていないから、不利だ。

センなら、アメリカの大学教授といえども若僧だから「原稿を読み上げるのはやめろ。通訳をやるオレには不利じゃないか」と活を入れることもできる。

しかも、センならスピーチする寸前にアメリカの基調講演者に向かって「最初からジョークを言っても通じない。笑いが通じないから」と忠告することもできる。そんなセンの口調を耳にして、私は驚いたことがある。さすが、プリマドンナとして恐れられている存在だ。私がセンを後ろ盾と表現したのはそういう意味だ。

さて、ひとりぼっちで原稿読みの通訳をする破目になった。この日も、胃が痛む思いだった。区切りのセンテンスがやけに長かった。使われた専門用語や、話の流れがわからず、四苦八苦した。彼のプレゼンは1時間以上も続いた。まさに拷問室から離れ、公衆の面前で鞭打の刑を受けているようなものだった。

逐次通訳は、黙ってメモをとっているときも、頭の中で同時通訳をすませておくものだ。だから、センのメモは、→や↓とか、＝とか≠とか、♡というシンボルが多いのだ。人は、センのメモをのぞきたがる。それは止めたほうがいい。

逐次の段階で同時通訳は終わっているから、逐次通訳のときに使われるメモは、モヌケの殻。宇宙人しかわからない記号文字が落書きされているだけだ。

センは、まごうことなき天才《アンディスピューテッド》である。しかし、天才は気まぐれで、移り気だ。メモを取っているとき、周囲の人に話しかけられたりすると爆発する。「僕は、怒鳴りつけるんですよ、そんなときは。黙っているときも頭をフルに回転させながら、メモっているんですから」というのが口癖だった。

村松増美氏も、完成度が要求されるだけに、逐次通訳のほうが厳しいと認めておられる。とにかくこの日の午後六時から八時までの逐次通訳には泣かされた。

いやしかし、逐次だけでなく、同時通訳は瞬間の芸術といわれるだけに、もっと厳しいときもある。

英語を聴きとろうとインプットに集中すれば、使うべき日本語のアウトプットに集中できなくなる。日英の場合でも同じだ。

「よく耳にする『総論賛成、各論反対』じゃなく、僕はその反対で、総論反対、各論賛成です」が、瞬間にイメージできず、モタモタしている間は、適訳が瞬時に浮かばない。自分の能力を疑い、通訳の仕事そのものを投げ出したくなる。私にもたまにそんなときがあった。

そんな日の夜は、空を見上げて泣いた。プロの通訳の世界は厳しい。都落ちするか、アマでも食べていける、ふるさとの大阪に戻って出直そうか。いやそれでは面目まるつぶれだ。

東京は、サイマル王国の通訳がプロの基準である。サイマルのプロ（村松・小松・上田が三羽烏と呼ばれていた）が使う表現がゴールド・スタンダードであった。それがプロの条件だから、大阪にはプロがひとりもいないという理屈になる。

唯一、私が推す京都のライバル岩田静治氏ならプロとして通じるといえば、プロ中のプロの村松増美氏の眼から見ると、まだまだ関西のひよこになる。あの岩田氏の派手な立ち回りを、我々は、Iwata Syndrome（イワタ症候群）と呼び、邪道とみなしています、と手厳しい。

日商岩井で27歳のサラリーマンであった私は、ＮＨＫラジオで全国的に知られていた松本亨博士に、英語で闘いましょう、と果たし状を認《したた》めたことがある。アマチュアがプロに挑戦することなど、将棋の世界でも英語の世界でも前代未聞の事件だ。

そんな私が、センという王将のそばにいる存在となった。だが、大使館での通訳の修行は、それは厳しいものだった。東京は甘いところではない。何度も打ちのめされた。自分自身の力量を買いかぶっていたことを何度も思い知らされた。

アメリカ大使館に、１０００人以上のなかから選ばれたというのも信じられなくなった。

センの後釜というのも餌（lure）ではなかったのか。詐欺に引っかかったのか、すべてが信じられなくなった。自信を喪失するとはそういうことなのか。しかし、空を見上げて泣き続けると、笑いに変わってくる。

ようし、ゼロからやり直そう。しばらく同時通訳から離れて、親孝行でもするか、と母を京都に連れ出した。いずれ母を東京へ引き取るために、足の不自由な母を両手で抱きかかえて、駆け足で道路を渡る訓練を繰り返ししたものだ。

なかば同時通訳をあきらめていた。心は明鏡止水に戻っていた。

第6章　同時通訳者、それぞれの運命

山中湖の決戦
The Battle of Lake Yamanaka

アメリカ大使館を退職し、転職することを決意したセンにとって、逃げたいが、逃げることが許されない、因縁の戦《いくさ》が待っている。

センにとり、引退相撲として有終の美（swan song）を飾りたいのが山中湖の闘いだ。これがなぜセンの因縁の勝負になるのかにはわけがある。何度も書いてきたが、前年の山中湖パッケージでセンが演じたあの醜態のことだ。

ブースのなかのセンがマイクを握ったまま、何分間も沈黙を続けられたというあの悪夢だ。しかも、機械が壊れて聞こえない、と怒り、周囲の顰蹙《ひんしゅく》を買ったという。

この話を私が大使館に入館した直後にシロー氏から聞かされたときは、目の前が真っ暗になったものだ。ほか数人の知人からもこの話を聞いた。後日、問題の日にブース内で同席されていた村松増美《むらまつますみ》氏に確かめたところ、「私の耳にはちゃんと聞こえてました。機械は正常でしたよ」とクールに答えられていた。

普通の通訳なら、すぐ馘《くび》になるか、よくても通訳業務から切り離されるはずだ。しかし、センは何しろ大使館のエース、代役する人はいない。ライシャワー大使の専属通訳。アポロ通訳。全国的なスターだ。野球界でいうイチローに匹敵するスーパースターだ。センはこの一件で、アメリカ人にとって馘にしたくてもできない厄介な存在になってしまった。そして今回、センはこのパッケージ・プログラムのために召喚された。雪辱を果たす機会を与えられたというわけだ。

また、私が置かれている立場も複雑だ。上司のシロー氏の立場になって考えてみる。マツモトを馘にするか、それとも、あと半年ぐらい見習い期間を延ばしてやろうか。シロー氏のほうでも迷っているところだろう。

この山中湖の決戦――私はそう呼ぶ――は、私にとっても正念場になる。やっとサイマル王国の王将・村松増美氏が、トップバッターの小松達也《こまつたつや》氏、上田《うえだ》氏と組むトロイカ体制で、このＵＳＩＳ（アメリカ大使館広報文化局）のパッケージ・プログラムにコミットしてくれるのだ。やったあ、と我々一同は快哉《かいさい》を叫んだ。

私にとって、村松氏、小松氏という大物同時通訳者とブースをともにしてお仕事をさせていただけるだけで、光栄だ。

ここで私が失敗すれば、間違いなく私は馘になる。しかも入館後、１年以内に。なんという屈辱。つまりここで私が失態を演じれば、はぐれオオカミ（a lone wolf）となり、プロの一匹狼（a single wolf）としての品格を失うことになる。プロの道は厳しい。

生き残ったとしても、いずれは狂う。そして神経がすり減り、失態を演じて解雇されても狂い死にするしか道はない。ノー・オプション。恥は、罪よりも苦痛なのだ。プライド高いサムライにとって、恥をかくことは万死に値する。世間の目が残酷なことは、プロなら誰でも知っている。

12月1日から開幕する、この年最大のイベントといえる山中湖（経済パッケージ）の決戦は、セミプロの私にとり、初めて外部（サイマル）のプロたちとの対決が続くことになる。

アメリカ大使館の担当者にとっても、今年は、あの昨年の恥をそそいでみせるという「意地」がある。

日英、英日のそれぞれのブースには、日英の西山・松本と英日の村松・富永という豪華な布陣だ。2日目は、日英が村松・松本、英日が西山・富永というスタメンだ。

あのあこがれの、サイマルの村松主将の隣に座る。ブースでお供する相手は、西山さんとでなきゃ嫌だ、と頑なまでにこだわっておられたサイマルの主将が我々との協業を受け入れてくれたのだ。一瞬ではあるが、西山、村松の両主将に挟まれマイクを握ることになろうとは……このまま、死んでもいい。夢心地で同時通訳をした。その中身はまったく覚えていない。

センの引退相撲
Maestro Sen Bows Out

2日目、日英が村松氏、松本のペアで、英日はセン・冨永氏のダブルスという布陣は、まさに万全の構えだった。どうしても乗り切らねばならない、天城越えだ。二度と前年の惨事を繰り返してはならない。

村松氏の英訳は格調が高く、内容的な取りこぼしはない。セン以上にパーフェクショニストでメモに無駄がなく、しかも丁寧だ。「間」を大切にされ、私がマイクを握っている間にメモで注意されることはない。村松英訳の流れに影響を受けたのか、いつの間にか私の英訳のアクセントがイギリス調に変形していく。私のナニワ仕込みのお家芸を初めてこの場で披露した。

あとでセンに、「松本さん、いつからイギリス人になったの?」と笑顔で話しかけられ、「今日の日英が一番よかったです」とほめられた。センは巻き舌を使う日本人好みの米語を好まれない。村松増美氏や國弘正雄《くにひろまさお》氏が使う、日本語訛《なま》り（音声学でいうinterference）をあえて残す英訳を「品格」と定義されていたようだ。

あまりにご機嫌だったようなので、その日の夜ふたりっきりになったとき「西山流派を引き継ぐのが私の役目でして」と言ってみた。「いやー、流派なんかできたらおしまいですよ」と言いながら、まんざらでもないセンの面持ちだった。

この頃の私の日英同時通訳の力量を醒めた目で分析してみよう。

ある日、ブースのなかにセンがヌウーッと入って息をはずませながら「松本さん、あなたの英訳のほうが村松さんよりわかりやすいと、ネイティヴたちが言っていましたよ」と伝えられたことがある。

西山流派の英訳で斬れたのだ。センの英語に近づいた。これまで2度、アメリカン・センターの館長（アメリカ人）が私に話しかけられたことを思い出した。「あんたの英訳はますますセンに似てきた」と。

名人も安心されたのか、3日目に、ふとホンネをもらす。「もう僕は通訳はやりません。しかし、ソニーへ移っても、通訳のワークショップのときはまた戻ってきたい。申請を出しておきましょう」

センは同時通訳がお好きだったのだ——テニスのダブルスのようにチームワークがうまくいったときは、「超」機嫌がいい。

これで、この日こそがまさにセンの引退相撲であったことが確認できた。私のなかで歴史に残る山中湖パッケージは、センにとり男の花道となった。この私も、少しは恩返しができた。

これがこの年最大のＵＳＩＳイベントであったが、テストはまだまだ続く。The show must go on.

判決
The Last Judgement

さて、山中湖の合戦が終わって12月5日、上司のシロー氏から私への判決が下りた。

私の実習期間案を来年の6月14日まで延ばすよう、上の人に手紙を書くということだ。

しかしやはり、あの原稿読み通訳の失敗が東京アメリカン・センター（ＴＡＣ）のブラックバーン館長の耳に入り、「松本をよこすな」と正式に断ってきたという。もう私のほうは覚悟ができていたものの、シロー氏は困り果てていた。

シロー氏は私に英語でこう伝えた。

Sen and Muramatsu say Matsumoto has makings, but I doubt if he'll make it in my time.

この英語を耳にして、in my time（自分の任期内に）と限定するところ、まさにこの人は官僚型人間だな、と思った。センと村松氏はあなたの素質を認めているが、私は違う、と。しかも、自分の任期内にと限定するところ、ソツがない。しかし、とにかく来年の６月14日まで首がつながった。ホッとする。

シロー氏はこんな言葉を残す。

「あなたに厳しすぎることはわかっている。見込みがないのではない。あなたは３年でモノになる、と言われた。村松もセンも、そう信じている。しかし、私は通訳者ではない。結果と客観的評価がすべてです。いまのあなたの力では、まだまだです。今後、上司のあなたを見る目は、もっと強く光ってきます。パスした冨永さんと違って、俎上《そじょう》にのせられているのですから——あなただけが。この６ヵ月間、私のあなたを見る目ももっときつくなるでしょう。ただひとつ憶《おぼ》えてほしいことは、僕はあなたの味方であるということ」

この言葉が白々しく響いた。フェイクだ。保身術ゆえのフェイク発言だ。

センは、私は大使館に残ったほうがモノになるという説だが、村松氏は、モノになるにはUSISから離れたほうがいいとの説で、意見はふたつに分かれていた。

米国の駐日大使の専属通訳は、西山千に代わって冨永氏が中心になり、要職を外された私は裏方に回されることになった。


この勝負が将棋の大局であったのなら、私は冨永氏に向かって頭を下げなければならない。「負けました」と。

そして相手も「ありがとうございました」と返す。ところがライバル同士のふたりは、こんな些細な言葉を交わすこともなく、さらりと別れることになった。

映像担当の先輩であったSさんが私を呼んで、こんなふうに説教された。「松本さんはバカだな。ここはアメリカなんだから、遠慮とか謙遜は通じないんだよ。『僕ならできます』と言うべきだったんだ。せっかく西山さんの後釜になれたというのに」と。

私のほうはべつに平気だった。あと半年のレームダック（死に体）期間で戦略を立て直してみるか。どうせ西山名人はもうそこにいないのだから。

サイマル王国は永遠か？
Is SIMUL Empire Forever?

要職を外された私だったが、サイマルの３大巨匠とのコラボはさせてもらえることとなった。福岡と大阪のアメリカン・センター（大阪ＡＣ）では、あの重厚で品格のある上田氏が両王将（セン、村松）に代わって務められる。名古屋アメリカン・センター（名古屋ＡＣ）では、あこがれの横山紘子《よこやまひろこ》氏（サイマルが誇るプロ通訳のひとりとされていた）とブースをともにする。『ハリー・ポッター』シリーズの翻訳で知られる松岡佑子《まつおかゆうこ》氏と双肩《そうけん》と噂された女傑である。コラボできると知り、心が躍った。

ＴＡＣへ戻ると、センが英日のモデルとして、高く評価されている小松達也氏が待っている。２日間にわたり通訳のコツを学んだ。こういう一流のプロの通訳者たちに胸を貸してもらえる、私は果報者であった。

サイマル王国の通訳者たちの層の厚さとすごさを知って舌を巻いた。日英・英日の技術の高さのみならず、プロ同士の「間」の置き方、ブース内での阿吽《あうん》のコミュニケーションなど、一度もトラブルや気まずい思いをしたことがない。

セン、冨永氏と私の間でときどき生じたいらだちは、まったくない。日英・英日のスイッチなどもまさに自然体で（effortlessly）「水魚の交わり」といったところ。とくに、麗《うるわ》しの横山紘子女史とはブース内でふたりだけの空間で、まったくトラブルがなかった。名古屋から東京行きの新幹線内で3時間も心がはずんでいた。

ここで、横山女史の通訳観を回顧してみたい。

1．日英も英日も難易度は同じです（この発言には、驚いた。彼女がセンと同格であることを示すからだ。村松氏、小松氏、國弘氏という3巨頭も、日英の方が楽だと言うのに。ネイティヴ並みの英語力のあるセンにとり、逆に、英日の方が楽な場合もある。たとえ日本語にふらつきがあったとしても——。その鍵は、英語のリスニング力だろう）。

2．斎藤美津子《さいとうみつこ》氏（国際基督教大学名誉教授）が重要視される「ブース内コミュニケーション」の不可欠性と相乗効果の理論はじつにすばらしい（横山紘子氏の心配りも見事だった。役割のスイッチングにまったく問題はなかった。初顔合わせなのに、すぐに阿吽の呼吸が生まれた。ふたりとものっ（ヽ）た（ヽ））。

3．サイマルは他流試合はやらない方針であったが、「ＵＳＩＳにすごいのがいる」との噂が流れ始め、それをたびたび耳にされていた（冨永氏と私のコンビが話題になり始めていたことを知って、胸のつかえがとれた）。

4．西山さんを尊敬するのはいいですが、恋愛関係になるのは危険です。プロ同士は距離が必要ですから。周囲から見てマイナスになることがあります（このコメントは痛烈だったが、冷静に受け止めた）。

たしかに、私はセンにベタベタし過ぎていた。周囲の眼が光っていることに気がつかなかった。彼女の観察と判断は的を射ていた。

そういえば、こんなこともあった。あまりベッタリとセンのあとにくっついていたものだから、ホテルの回転ドアの前で振り返ったセンが、「あまり、僕の近くにくっつかないでください。こんなふうに距離を置いてください」とゼスチャーをまじえて私を叱る。「近づきすぎるとやばい（Too close for comfort）」という表現がぴったりだ。

旅立ち
At a Crossroads

センは12月22日、最後のあいさつにやってきた。

私がセンの後釜になることは、及ばざる夢であった。隙を狙ったこともあった。何度も迷った。「私がやります。センを追い越してみせます。あと1年で」とさえ言えばよかったのだ。ただその一言が口から出なかった。日本人のそれを、アメリカ人は、エンリョ・シンドローム（遠慮症候群）と呼ぶそうな。

センは以前、私にこう言った。

「同時通訳のプロになるには、最低10年はかかります。僕もライシャワー大使の立ち会いの下で、多くの人の前で同時通訳を披露したのはたしか38歳のときでした。松本さんは、まだ30を超えたばかりでしょう」

村松氏も、「いや、松本さんはいまが肝心。accelerated agingということをご存知でしょうか。（加速加齢？　知らなかった。）あっという間にプロの域に到達しますよ」と励ましてくださった。

私はアメリカ大使館でサイマルの向こうを張って、同時通訳者が苦手とする経済金融に強くなるために、日興証券の国際部担当の役員秘書に転職することにした。しかしこれも芸の肥やしだ、とハラを決めた数日後、村松氏から電話で「サイマルに来られませんか」という誘いを受けた。遅かった。35歳で同時通訳日本一という夢は、あきらめていたからである。

センは私の新天地への旅立ちを、よかったよかったと我がことのように喜んでくださった。

エピローグ

大使館を出た師と弟子は、別々の道を歩き続ける。

あれからの私は、現在の「難訳辞典」シリーズの原点となる『日米口語辞典』を世に出し、日興證券国際課担当で役員秘書として、同時通訳の技を磨き、ＮＨＫ教育テレビの中級英語番組に出演し、國弘正雄《くにひろまさお》氏の後釜となった。

國弘氏は教育テレビから離れ、同じく地上波テレビで日本語によるニュースキャスターをされた。浅野輔《あさのたすく》氏（東京国際大学教授）も同じ道を通られた。私は國弘氏の後釜となって、ＮＨＫ教育テレビのインタビュー番組を引き受けたが、そのあとはサイマルの小松達也《こまつたつや》氏が引き継がれた。

すべて同時通訳の世界から飛び出した人たちだ。私が同時通訳からディベート教育のパイオニアとなったときは、まるで蛾が蝶になったような気がした。

村松増美《むらまつますみ》氏が、「松本さんも同時通訳からディベートを世に広げられる一家を立てられましたね。まさに始祖鳥ですよ」と絶讃してくださったときは、センと並ぶ同時通訳界の王将の言葉に身震いを感じ、面映《おもは》ゆかった。

ＮＨＫ教育テレビ番組降板後、しばらく蛹《さなぎ》のように静かに力を蓄える期間が続き、70歳のときにＮＯＮＥＳ　ＣＨＡＮＮＥＬというインターネットＴＶ番組にバイリンガルのニュースキャスターとして現役復帰することができた。そしていま、このインターネットＴＶ局、ＮＯＮＥＳ（平山秀善《ひらやまひでよし》プロデューサーが創始者）のバイリンガル番組**Global Inside**のレギュラーを務めて10年目に入り、一区切りをつけ、次の獲物を狙うつもりだ。

このＮＯＮＥＳの番組で、ゲストのスピーチの同時通訳（日英も、英日も5分以内という条件で）を行ってきた。私のライフワークであるディベートも、必ず月1回は行うことにしている。このディベートは、落語風にひとりふた役の**Self Debate**で、これが定番となっている。

また、スピーチやディスカッションを行う祭り型コンテスト「国際コミュニケーション検定（ＩＣＥＥ）」を立ち上げ、今年で33年目を迎える。

なぜ、ナニワ英語道の開祖である私が、東京のど真ん中でこんな英語による異種格闘技大会を開催することができたのか。

その原点を求め、当用日記を再読し始めると、1972年に戻る。当時はまったくの他人であった西山千《にしやません》にコンタクトされたのは1968年であったから、そのときから数えるとほぼ50年になる。

アメリカ大使館内では、たしかに通訳者はひとつのツールにすぎず、我々はいずれ使い捨てにされる奴隷剣闘士のような儚《はかな》い存在であった。

しかし、同時通訳が心をすり減らすばかりのものであったのなら、センがライシャワー大使に勧められて38歳で初めて同時通訳に挑まれ、成功したときの奇蹟を、あれほどまで嬉々と語られることはなかっただろう。

また、アメリカの経済学者が何気なく使っていたpsychic income（心理的収入）を、私が経済用語を使わずに、とっさに「心の収入」と訳したときに、センはウーン名訳だとブース内でほめてくださったことがあった。やったぁ、と思った。拷問室と呼ばれたブースのなかにも、こんな喜びのひとときが存在したのである。

いまも、YouTubeで「通訳訓練テープ講座」（金山宣夫《かなやまのぶお》編集、日本通訳協会）をバックミュージックにしてこの原稿を書いているが、センの英語から息づかいが伝わってくる。

センの声には表情があった。薫りがあった。この薫りは、私の記憶を甦らせてくれる。

「日本語も英語もペラペラである人のすべてが通訳ができるとは限らないのです。その理由は簡単です。人は自分のことを話すことはできますが、人の考えを代弁することなどできないからです。人は人の話を真剣には聴いていません。しかし、通訳者は違います。一言一句、他人の機微を正確に理解し、代弁するわけですが、思考の切り替え（code switching）と、集中力は、バイリンガルの日系米人（ハーフ）とて真似はできません……人工頭脳といえども、人間の頭脳には勝てません」

同時通訳で培われた集中力は、実社会に役立つはずだ。そのことなら、私はいくらでも証明できる。しかし、センの通訳論には、使命感が加わる。クリスチャンのセンには、人並み以上の自己犠牲的精神があったはずだ。YouTubeで聴いている「西山千フォーラム」でのセンのスピーチは、まるで讃美歌のように音楽的だ。

センがソニーに籍を移し、私が転職したあとも、私たちはしばしば会っていた。

また現在私は79歳だが、以前、その年齢の頃のセンを私塾紘道館《こうどうかん》へお招きしたことがある。

塾生に同時通訳をさせ、その出来映えをジャッジしていただくつもりだったが、畳から立ち上がったセンは、ジャッジやコメントをする気などまったくなく、「私にも同時通訳をさせてくださいい」と私の横に立たれ、一同は驚いた。声の張りは多少落ちたようだが、英日同時通訳の技に乱れはなかった。この御仁は、本当に同時通訳を愛し、楽しんでおられたようだ。

「僕はソニーへ移りましたが、あの同時通訳のワークショップなら、また大使館へ戻ってきますよ」というかつての発言は、何を意味するのか。同時通訳とは、まさに高尚な〝話芸〟(a spoken art)であり、芸術的感動を再体験したい、という熱い想いではなかったか。

あの1年間の、センとの地獄の特訓のおかげで私は大きく成長した。突然変異したというほうが正確かもしれない。私はアメリカ大使館で一度仮死状態に追いこまれ、そこからまた這い上がった。そしていまも鬼軍曹のセンを師と仰ぎ続けている。

同時通訳の最中、拷問室とよばれたブースのなかで、センから何気なく私に回された1枚のメモ。また叱られるのかと思いきや、書かれていたのは「同時通訳はむずかしいですね」であった。ふと隣のセンと眼を合わせた。屈託のない笑顔。あの一瞬がすべてであった気がする。

著者略歴

１９４０年、大阪府に生まれる。国際ディベート学会会長。関西学院大学を卒業し、日商岩井、アメリカ大使館同時通訳者、日興証券（国際業務役員秘書）、ＮＨＫ教育テレビ上級英会話番組「ＳＴＥＰⅡ」講師などを経る。世界初の英語による異文化コミュニケーション検定「ＩＣＥＥ」を開発。日本にディベートを広めたことでも知られる。インターネットテレビ「ＮＯＮＥＳ ＣＨＡＮＮＥＬ」で「ＧＬＯＢＡＬ ＩＮＳＩＤＥ」に出演。英語道の私塾「紘道館」館長。著書には『最新日米口語辞典』（共編、朝日出版社）、『速読の英語』『超訳 武士道』（以上、プレジデント社）、『中国人、韓国人、アメリカ人の言い分を論破する法』（講談社）、『同時通訳』（角川学芸出版）、『難訳・和英口語辞典』『難訳・和英「語感」辞典』『難訳・和英ビジネス語辞典』（以上、さくら舎）など１７０冊近くがある。

アメリカ大使《たいし》館《かん》 神《かみ》といわれた同時《どうじ》通訳者《つうやくしゃ》

——英日《えいにち》・日英《にちえい》通訳《つうやく》のカミワザ

二〇二〇年二月一〇日　第一刷発行

著者　松本道弘《まつもとみちひろ》

発行者　古屋信吾

発行所　株式会社さくら舎　http://www.sakurasha.com
東京都千代田区富士見一-二-一一　〒一〇二-〇〇七一
電話　営業　〇三-五二一一-六五三三　ＦＡＸ　〇三-五二一一-六四八一
編集　〇三-五二一一-六四八〇
振替　〇〇一九〇-八-四〇二〇六〇

装丁　石間　淳

印刷・製本　中央精版印刷株式会社

ISBN978-4-86581-235-0